CW00430480

ON A RETROUVÉ DAVID

Paru dans Le Livre de Poche :

L'ÂGE D'AMOUR
CAFÉ-CRIME
LE FILS DE L'HIMALAYA
LA MÉMOIRE DES DIEUX
LE RAJA
RUE DES ROSIERS
LE VOLEUR DE HASARDS

JACQUES LANZMANN

On a retrouvé David

Rue des Rosiers **

ROMAN

ÉDITIONS DU ROCHER

À Serge Klarsfeld.

Chapitre I

Seule Eva Klotzmann avait été admise au crématorium.

Les autres s'étaient demandé : « Pourquoi elle ? Pourquoi pas nous ? »

Quelqu'un leur avait expliqué : « Eva est la fille du défunt. »

Et tous s'étaient regardés, incrédules. On les sentait désemparés et en même temps avides de questions : « Abraham Seltzer avait donc une fille ? Qui est la mère ? Vit-elle encore ? »

Le notaire répondait laconiquement. Il s'épongeait le cou avec un mouchoir à carreaux.

Il faisait chaud. L'après-midi risquait d'être caniculaire, à l'image des jours précédents.

— Eva est la fille de Milena. Et Milena était la fille de Mina, la célèbre pianiste morte à Auschwitz.

C'était court.

Pressé par la trentaine de personnes rassemblées sous un cèdre tricentenaire, le notaire délivrait les mots avec solennité, comme s'il les lisait dans un testament. Et du testament, on connaissait déjà l'essentiel : la demeure de Carjac, une bastide du XVIIe siècle, devenait la propriété de Raymond Verner, aujourd'hui David Rosenweig.

Seltzer n'avait pas déshérité sa fille pour autant. Il lui laissait sa fortune faite d'une multitude de dons plus ou moins importants, sommes d'argent qu'il n'avait jamais réussi à remettre à leurs destinataires.

La guerre était passée par là avec son cortège de malheurs, ses rafles et ses déportations massives.

Le notaire lui-même ne savait que peu de choses d'Abraham Seltzer. Rescapé des camps de la mort, le géant polonais avait consacré le reste de son existence à tenir les promesses faites à ceux qui étaient irrémédiablement programmés pour la chambre à gaz. La plupart laissaient un être cher au pays et s'en inquiétaient. C'était parfois un enfant, un parent, une fiancée. Il y avait des histoires d'amour en cours, des histoires de gros sous, des biens à recouvrer et à distribuer.

En réalité, les êtres chers, comme les amours perdus, remplissaient d'autres convois et disparaissaient à leur tour, ne laissant d'eux-mêmes d'autre trace sur terre qu'une poussière de suie noire.

Seltzer tint parole. Il se lança dans d'opiniâtres recherches. Il remua ciel et terre, consulta des tonnes d'archives. Il recueillit des centaines et des centaines de témoignages. Il parcourut le monde en tous sens.

À Melbourne, il retrouva la jeune Milena Klotzmann. Il avait vu mourir sa mère à Auschwitz.

Adoptée par les Chanleyron, une famille française, Milena s'en détacha à la fin des années cinquante et gagna l'Australie. À sa majorité elle reprit son nom et apprit un métier.

Quand Seltzer débarqua à Melbourne, la petite Milena Klotzmann allait sur ses vingt-sept ans. Lui en avait cinquante. Le coup de foudre ! Il avait passionnément aimé la mère sans jamais oser le lui dire. À Auschwitz, ce n'était qu'un sac d'os, une douleur muette. De la célèbre pianiste, on ne voyait que les doigts bleuis et enflés, on ne pouvait même pas lui prendre la main pour l'aider à partir en lui offrant quelques miettes de tendresse.

Avec Milena, ce fut charnel et violent. Un affrontement de tempéraments, une guerre de vingt ans entrecoupée de trêves et de concessions.

Et pour finir, un armistice conclu à la naissance de leur fille, Eva.

On attendait Eva Klotzmann. Elle n'était pas encore revenue du crématorium.

Charme et Noam se tenaient à l'écart.

Partis la veille de Paris, ils étaient sous le choc. La mort du géant les laissait sans voix. Ils se souvenaient. Ils communiaient.

Tout récemment, Abraham Seltzer, qui s'était fait attendre près d'un demi-siècle, avait fini par se montrer au numéro 2, rue des Rosiers.

Le vieil homme tremblait de froid sous sa lourde pelisse.

Il était précédé par Rachel, la libraire. Il portait l'escabeau dont elle se servait pour accéder à ses rayonnages.

Il s'était dirigé tout droit vers la soupente du deux pièces que Rosa Zelasny, la voisine de Chaïm et Sarah Rosenweig, occupait dans les années quarante.

Peu après la rafle du Vel d'Hiv, les grands-parents de Charme s'étaient installés dans l'immeuble. Ils avaient aménagé tout l'étage, ne faisant qu'un seul et même appartement du deux pièces de Rosa et du trois pièces des Rosenweig.

On ne savait pas ce qu'étaient devenus les jumeaux, des bébés de onze mois. Certains croyaient qu'ils avaient été arrêtés en même temps que leurs parents. D'autres affirmaient qu'ils avaient été épargnés.

À vrai dire, il y avait eu une telle pagaille en ce matin de rafle que personne ne se souvenait précisément de ce cas particulier.

À Auschwitz, le géant, qui avait accompagné Sarah et Chaïm Rosenweig jusque dans leur dernier soupir, avait promis de faire l'impossible pour retrouver les enfants.

À quelques heures d'être gazé, Chaïm avait répété pour la centième fois : « La veille de la rafle, nous avions confié nos bébés à Rosa Zelasny, la voisine de palier. »

Les Rosenweig faisaient confiance à Rosa car elle s'occupait souvent des enfants. Elle les aimait.

Ils espéraient beaucoup du géant, un étrange bonhomme que les bourreaux semblaient épargner.

Ils l'avaient mis dans le secret. Une fois libéré, la guerre terminée, il s'occuperait certainement des enfants.

Cette perspective adoucit quelque peu leur fin inhumaine.

Peu après sa libération, flottant dans son pyjama rayé, Abraham Seltzer alla, comme promis, rue des Rosiers.

Rosa n'y était plus. L'appartement était occupé par Charles et Manon Delestaing, des braves gens prêts à restituer le logement au moindre signe des propriétaires.

Les Delestaing ne savaient pas ce qu'il était advenu des jumeaux. Ils ignoraient même que les Rosenweig avaient eu des enfants. Quelqu'un était passé avant eux dans l'appartement, et l'avait vidé de ses meubles et de son linge.

Les Delestaing ne s'étaient guère souciés des précédents locataires. Ce n'était que des Juifs. Dommage pour les gosses. Une bonne âme les avait peut-être recueillis. À moins qu'ils n'aient suivi leurs parents dans ces prétendus camps de concentration où l'on parquait les parias en attendant de les recaser dans un autre pays...

À l'époque, on n'avait pas une idée exacte de

la déportation. Encore moins de l'importance du massacre.

Seltzer se fâcha et leur ouvrit les yeux. Ils avouèrent leur trouble, leur émotion. Ils s'excusèrent. Comment auraient-ils pu savoir que les camps de concentration étaient des camps d'extermination ? Comment supposer pareille organisation diabolique au service de la solution finale ?

Manon et Charles Delestaing tenaient un petit commerce d'appareils ménagers. Ils réparaient les radios, les phonos, les aspirateurs. Comme beaucoup de Français, ils souffraient de l'Occupation et faisaient avec. Jusqu'alors, ils avaient surtout fait les sourds et les aveugles.

Cette fois, devant le géant polonais, un rescapé des camps de la mort, les Delestaing affichaient un profil bas. Le remords, la mauvaise conscience les habitèrent désormais.

Pis, ils transmirent le malaise à Louis, leur fils unique, qui ne put oublier les jumeaux. Il imaginait toutes sortes de scénarios. Tantôt il les voyait vivants, heureux. Il les sentait proches de lui. D'autres fois, à l'inverse, ils étaient si loin, si flous, qu'il n'arrivait même plus à s'en faire une idée.

Une chose était sûre : perceptibles ou imperceptibles, les jumeaux hantaient tous ceux qui occupaient l'appartement.

Le géant revint en 1953. D'autres affaires l'avaient retenu loin de la rue des Rosiers.

Il trouva les Delestaing changés. Ils s'étaient démenés. Ils avaient entrepris des recherches, mais peu d'éléments nouveaux méritaient que l'on s'y arrête. C'était toujours la même chose : des témoignages flous. Ou alors des certitudes. Les uns avaient vu les bébés dans les bras de leurs parents. Les autres avaient vu les parents sans leurs bébés. Les uns avaient vu Sarah Rosenweig qui se débattait et donnait des coups aux policiers. Les autres l'avaient vue monter tranquillement dans l'autobus réquisitionné à cet effet. Les uns prétendaient qu'on avait arrêté Rosa Zelasny quelques jours plus tard. Les autres juraient l'avoir aperçue dans la rue avec sa sœur. Et pourquoi aurait-on arrêté Mme Zelasny, une dame qui n'était même pas juive ?...

Abraham Seltzer alerta diverses organisations qui avaient pour mission d'enquêter sur les personnes disparues. Il contacta un bureau d'avocats spécialisé dans ce type d'investigations. On l'aiguilla sur plusieurs pistes. On crut même approcher du dénouement. Hélas ! la piste se perdait en pleine campagne dans un manoir qui avait abrité des enfants juifs de quatre à dix ans, mais aucun nourrisson.

Aidé par les Delestaing, le géant polonais inonda la France de petites annonces. Des gazettes locales aux supports importants, tous publièrent un avis de recherche très précis. On reçut environ un millier de lettres qu'il fallut trier.

Sur ces entrefaites, Seltzer partit vivre à New

York. Il y avait son frère, des neveux, un reste de famille.

On lui envoya une partie du courrier, les réponses qui paraissaient sérieuses.

Il mit de côté les plus crédibles, bien décidé à s'en occuper bientôt.

La maladie, d'autres obligations, d'autres énigmes à résoudre, l'empêchèrent de se consacrer entièrement aux jumeaux Rosenweig.

Il finit même par les oublier. Ça n'était pas un simple trou de mémoire. C'était beaucoup plus profond. C'était venu à la suite d'un traitement thyroïdien sévère.

On avait modifié son caractère, chamboulé son tempérament. Le passé ne l'intéressait plus. Il ne refusait pas seulement d'en parler, il n'y pensait plus.

Conséquence de la crise, le géant quitta subitement New York pour Melbourne. C'était un autre homme. Il y refit sa vie. Il épousa Milena Klotzmann, la fille de Mina la pianiste, morte à Auschwitz.

Commença alors pour Seltzer une vie en rose où toutes les horreurs vécues jadis furent apparemment effacées de sa mémoire. Il cultiva cet oubli et se grisa dans une existence trépidante où se mêlèrent luxe et luxure. Il charmait, il fascinait. Il dévorait la vie à pleines dents, à pleine poitrine. Il était drôle, spirituel, irrésistible.

En lui ôtant la thyroïde, on avait supprimé tout un pan de sa personnalité. Les médicaments faisaient le reste. Surdosés, ils agissaient comme une drogue.

Un jour, pourtant, Seltzer cessa de briller. L'entourage s'inquiéta. Les médicaments ne faisaient donc plus d'effet ? En réalité, il avait abandonné son traitement.

Les vieux démons refaisaient surface. Ils remontaient à l'assaut. C'était dur à supporter. Plus difficile encore pour Milena. C'était une fille légère, insouciante. Elle aimait s'amuser. Elle admirait Abraham quand il était drôle et superficiel. Elle détestait l'entendre parler des camps de la mort. Il avait vu sa mère agoniser. Elle ne voulait pas savoir. Sa mère vivait toujours. Elle enchantait le monde. Elle était avec Chopin, avec Bach, avec Brahms, avec Mozart. Elle était fougue et passion, fugue et concerto, prélude et requiem. Elle était allégresse et à jamais géniale.

Abraham et Milena ne se comprenaient plus. Ils étaient en grand désarroi. Comment avaient-ils fait pour partager toutes ces années ? Maintenant, ils se regardaient comme des étrangers. Mais où était donc passé le bonheur ? Qu'était-il advenu de leurs élans, de leurs moments inoubliables ?

Qu'allait donc devenir Eva ? La petite ne marchait pas encore.

Abraham ne s'en souciait pas. Il était ailleurs, dans un monde de fantômes grimaçants.

Exacerbé, il partit méditer dans le vaste désert australien. Il se sentait malheureux, vieux, malade. Quand le froid envahit à nouveau ses veines, il sut qu'il était redevenu lui-même. Et avec ce marbre glacial qui surgissait comme une punition, réapparaissaient devant ses yeux tous les morts vivants qui s'étaient confiés à lui dans cette infirmerie d'Auschwitz où les SS l'avaient affecté.

À 87 ans, soit près d'un demi-siècle après sa dernière visite, Abraham Seltzer était de retour rue des Rosiers. Une lettre, restée en souffrance à son domicile de New York durant toutes ces années, apportait une réponse au sort des jumeaux.

Rue des Rosiers, deux générations de Delestaing avaient rendu l'âme, à croire que l'appartement des Rosenweig portait malheur.

Charles, le réparateur de TSF, avait été écrasé par un betteravier. Sa femme, Manon, l'avait suivi de peu.

Leur fils Louis, qui développait l'affaire familiale en important de la haute technologie nipponne, avait trouvé la mort à Kobé, ville touchée par un tremblement de terre particulièrement dévastateur.

Pas de chance ! Il signait le contrat du siècle...

Rue des Rosiers, seule contre tous, Charme, 32 ans, la fille de Louis, tenait tête aux spectres qui l'assaillaient.

Élevée dans le respect et la crainte des deux petits inconnus, elle avait beau faire, elle ne parvenait pas à se délivrer des inhibitions qu'entraînait cette présence à la fois si floue et si réelle, à croire que les jumeaux épiaient ses moindres gestes et critiquaient son comportement.

Obsédée par cette énigme qui la rongeait depuis l'enfance, se voyant en voleuse d'âmes et de lieux, la jeune femme se consacrait maintenant à l'écriture d'un ouvrage relatant les innombrables tragédies qui s'étaient déroulées rue des Rosiers.

Pas un immeuble, pas un habitant, pas une arrestation, pas un drame, pas une violence, pas un procès en sorcellerie, et surtout pas le procès du Talmud présidé par Blanche de Castille, ne lui avaient échappé.

De l'an 700 à nos jours, elle racontait l'histoire de sa rue à travers celle des émigrés juifs.

Magistral, l'ouvrage n'apportait guère de faits nouveaux sur les jumeaux Rosenweig dont on perdait la trace dès leur onzième mois. Personne ne savait où étaient passés les bébés. Aucune date, aucune mention dans les archives de la déportation patiemment mises au jour par Serge Klarsfeld.

De Pithiviers à Beaune-la-Rolande, de Compiègne à Drancy, aucun signe, aucun indice. Tout laissait cependant supposer que les bébés avaient été épargnés, cachés et recueillis.

Les jumeaux auraient aujourd'hui 60 ans. Pour Charme, ils avaient encore l'âge de leurs couches. L'âge du jour où le grand-père Delestaing déménagea de la rue Pavée pour s'installer plus confortablement au 2, rue des Rosiers. C'était quelque temps après la rafle du Vel d'Hiv, deux ou trois mois seulement...

Depuis, Charme en était persuadée, les murs de l'appartement n'avaient pas cessé de geindre. Ils lui parlaient. Ils lui restituaient des tragédies. Ça débutait à la nuit tombée. Elle entendait d'étranges craquements, des plaintes étouffées, des gémissements.

Charme s'interrogeait. Ces bruits émanaient-ils de l'appartement même ou se transmettaient-ils, comme autant de messages, de mur à mur, d'immeuble en immeuble ? Était-ce des appels au secours ? N'était-ce pas, au contraire, des rappels à l'ordre, des aide-mémoire aux bons soins des vivants ? Il y avait eu tant de suppliciés dans la rue, tant de gens martyrisés, tant d'innocents entraînés vers l'horreur, que la pierre était imprégnée de leurs cris, de leur effarement, de leurs sanglots, de leur indignation...

Depuis l'enfance et parce qu'on en parlait beaucoup en famille, Charme attendait le retour des jumeaux. Aujourd'hui encore, elle y pensait. Elle espérait, elle guettait. Il lui arrivait même de se tromper d'époque, de confondre les âges. Qu'attendait-elle au juste ? Et que voulait-elle voir : un vieillard ou un nourrisson ? Un amoureux torturé ou un prince charmant sous les traits de Chaïm Rosenweig ?

À 32 ans, elle y croyait plus que jamais. Ils allaient revenir. Elle leur laisserait l'appartement. Elle irait vivre à l'hôtel.

Elle pressait les jours. Et chaque jour écoulé la rapprochait irrémédiablement de la rencontre.

Personne n'attendait Noam Verner. Et lui-même n'attendait personne. Arrivé à Paris le matin même, il flânait dans le Marais, se laissant guider par l'aventure. Noam était un obtenteur de génie. À 26 ans, il créait des roses exceptionnelles et raflait médaille d'or sur médaille d'or. Enfin, disons la vérité, son patron, M. Roux, un rosiériste d'Antibes, s'appropriait les inventions de Noam et se les attribuait.

Mme Roux, une Italienne au tempérament de feu, avait averti Noam sur l'oreiller. Et Noam, qui en avait marre de satisfaire l'épouse et de se faire voler son talent par le mari, préféra claquer la porte.

À Paris depuis quelques heures seulement, il descendit au métro Saint-Paul et se laissa guider par ses pas. Il croisa la rue des Rosiers et trouva la chose cocasse. Pour un obtenteur, la rue des Rosiers, c'était un joli cadeau du hasard.

Il se sentait bien, un peu comme chez lui. Mais chez lui, où était-ce ? Était-ce cette propriété de Juan-les-Pins où il avait grandi et que son père entretenait pour le compte d'un milliardaire suisse ? Était-ce cette maison des bois, une baraque de Petit Poucet où il se réfugiait parfois durant les vacances ? Était-ce cette rue si particulière avec ses enseignes en hébreu, en yiddish, et ses religieux d'un autre âge ? Était-ce cette petite maison de garde-barrière avec tous ces trains qui passaient et l'écrasaient durant son sommeil ? Il en frissonnait encore...

Tout petit, Noam s'était inventé un mystère familial. Pourquoi l'avait-on baptisé Noam alors que son frère se prénommait Marcel et sa sœur Marceline ? Et que dire de Raymond, son père, de Ginette, sa mère ? Quelque chose ne collait pas. Des parents, ça se voit, ça se sent, ça se lit d'un seul regard.

Noam avait beau regarder les siens, il ne parvenait pas à s'y attacher, à croire que les liens du sang s'étaient rompus ou, mieux, qu'ils ne résistaient pas à l'examen d'une semblable prise de conscience.

Parvenu devant le numéro 2 de la rue des Rosiers, Noam s'y arrêta. Curieux : il n'était jamais venu jusqu'ici, mais il crut reconnaître l'endroit. Il mit cela sur le compte de l'hypersensibilité. Combien de fois ne s'était-il pas inventé des existences d'émigré ? Avec un prénom comme le sien, il pouvait s'arroger des origines juives ou gitanes.

Légèrement intrigué, il leva les yeux vers le troisième étage.

Au même moment, Charme Delestaing sortait de chez elle.

Apercevant le jeune homme planté sur le trottoir d'en face, elle eut un drôle de pressentiment aussitôt suivi d'un creux à l'estomac.

Elle l'examina, mine de rien. Son cœur battait drôlement vite.

Il était beau, émouvant. Et avec sa chevelure ébouriffée, il ressemblait à Chaïm Rosenweig.

Charme n'avait jamais vu Chaïm ni de près, ni en photo, mais elle l'avait imaginé comme elle avait imaginé les jumeaux. C'était ce genre d'homme, droit et fier, au visage anguleux, aux lèvres douces, au regard tenace.

Noam quitta des yeux le troisième étage et s'intéressa à la fille. Elle était classe, bien faite, joliment vêtue. Il pensa en obtenteur : « Fragile comme une rose anglaise. C'est une Centifolia, une Rose chou à cent feuilles. Elle craint la canicule, le manque d'eau. Ça la rend inquiète. D'un jour à l'autre, elle va essaimer ses pétales, laisser au vent le sillage sucré d'un parfum jusqu'alors inégalable. Dommage ! »

Il jugeait en connaisseur. Elle avait besoin d'être rassurée. Besoin d'être cueillie. Et pourquoi pas d'être recueillie...

Il la détaillait.

Elle était gênée, malmenée, mal à l'aise.

Il n'avait pas le droit de la traiter ainsi.

Elle s'arrêta devant un magasin de fripes et fit semblant de chiner.

Elle l'observa dans le reflet de la vitrine.

Ça ne pouvait être que lui. Il était l'émanation des jumeaux, le fils d'Élie ou le fils de David. L'âge, le physique, le lieu concordaient.

Il était enfin de retour à la maison.

Noam se prêta au jeu. Il aimait qu'on le prît pour un autre. Et puis, qui sait si cet autre ne faisait pas partie de lui-même ? Il se voyait mieux en Rosenweig qu'en Verner.

Charme lui bâtit son histoire. Elle combla les lacunes. Elle n'oublia pas le frère jumeau. Tous deux avaient été adoptés peu après la grande rafle. L'un était peut-être Verner. L'autre vivait sans doute ailleurs sous l'identité des parents adoptifs. Peut-être étaient-ils vivants ? Peut-être n'étaient-ils plus de ce monde ?

Tout se tenait, y compris Raymond Verner. Était-il, ce Verner, Élie Rosenweig ou David Rosenweig ? Avait-il été averti de son adoption ? Préférait-il garder le secret ? Avait-il transgressé un tant soit peu cet anonymat en prénommant son fils Noam ? Une manière de renouer discrètement avec ses origines ? Avait-il, ainsi, transmis un signe, un indice, avant de se taire pour toujours ?

Quoi qu'il en soit, Noam était servi. Il avait échafaudé toutes sortes de romans autour de sa naissance. Cette fois, avec Charme, ils avaient tout prévu, tout envisagé, tout fabriqué. Ils avaient même été dans le sens de Noam, à savoir que Verner n'était personne d'autre que Verner, et que ce Verner, un « gent de maison », comme disent les petites annonces professionnelles, avait été amené à s'embarrasser d'un enfant juif dans les années soixante-seize.

Noam se contentait de cette version. Restait à savoir pourquoi Raymond et Ginette Verner s'étaient encombrés d'un troisième rejeton ?

Les parents de Noam étaient-ils brusquement décédés ? Avaient-ils trouvé la mort dans un accident ? Avaient-ils été assassinés ? S'étaient-ils suicidés ?

Désormais, pour affreuse que soit la mort violente, le mystère de l'identité paternelle n'était pas insurmontable. Il n'y avait que deux jumeaux. C'était au choix. Tantôt il se voyait fils d'Élie, tantôt fils de David. Quoi qu'il en fût, Noam était le dernier des Rosenweig.

La boucle une fois bouclée, les murs cessèrent leurs plaintes. Plus un bruit, plus un craquement. On n'entendait que le gémissement du sommier, car la Centifolia, cette fleur blonde aux yeux bleus, s'épanouissait enfin dans les bras de son obtenteur.

Amants et associés dans cette sublime épreuve, Charme et Noam se complétaient. D'elle, de ses ouvrages, il apprenait ce que les Juifs de la rue des Rosiers avaient enduré d'humiliations et de sévices.

Jour après jour, il découvrait des martyrs, des innocents immolés. La liste était longue, interminable. Elle s'étirait au cours des siècles.

C'était éprouvant à lire. Pire encore à imaginer. C'est alors que Noam eut l'idée d'élaborer un second gotha des roses, laissant au premier ses douze mille références fort aristocratiquement baptisées.

Il s'attela donc au gotha du ghetto, une sorte de contre-pouvoir des valeurs en vogue. Désormais, chaque victime de l'antisémitisme — chaque enfant, chaque homme, chaque femme — tombée rue des Rosiers se verrait gratifiée d'une rose unique portant son nom.

On ne pouvait rêver meilleure complicité entre l'historienne et l'obtenteur.

De l'œuvre écrite naîtrait bientôt un mémorial de roses inédites aux senteurs vigoureuses. Une façon d'éradiquer à tout jamais ce parfum de mort qui envahissait encore les cours et les arrière-cours de la rue.

Il s'agissait d'une entreprise colossale qui s'étalait sur plusieurs années. Tout d'abord, ils durent chercher un terrain et y installer des serres. Ils trouvèrent leur bonheur dans les environs de Provins. C'était une petite maison de curé avec son jardin en friche et quelques parcelles en prime gagnées sur un champ voisin. C'était une terre à rosiers, comme il y a des terres à vigne.

Noam avait un faible pour les roses de Provins. Elles étaient simples et suaves, douces au toucher, faciles à respirer. Elles descendaient d'espèces anciennes, les fameuses Galica et Moschatas ramenées de Palestine.

Croisées et recroisées, hybridées tant et plus,

elles ont perdu leur caractère ancien, leur parfum d'Orient, mais n'en restent pas moins vivaces. Aujourd'hui, ces orientales, devenues paysannes, fleurent bon la France.

Dans le temps, on déposait les roses de Provins dans les armoires et les coffres à linge. On les disposait sur la couche des belles, mais aussi dans les cercueils et les suaires.

Des apothicaires conseillaient même des décoctions de sépales et d'étamines. C'était bon contre les maux de ventre, pour la vigueur, pour l'amour...

Noam devait tout recommencer, tout réinventer. Il fonctionnait à l'instinct. Il s'inspirait du personnage à honorer. Il se glissait sans sa peau. Il vivait avec lui et en lui. Il épousait ses petits bonheurs, ses aspirations, ses états d'âme. Pour finir, il captait les frayeurs, le désarroi des derniers instants. À partir de là, Noam pouvait commencer à entrevoir la rose. Il choisissait sa reine mère, sa femelle idéale, une racée, une pondeuse reconnue et reconnaissante. Restait à l'étaminer, à lui donner un autre son, une autre sève. Parfois, on prenait une fleur mâle de la même famille. Parfois une noble étrangère ou une roturière, une rose de tête ou une rose insouciante, une petite folingue, une aventurière, une intrépide. Ou bien alors une maîtresse rose, une érudite, une hypersensible, une névrosée.

Il fallait essayer, composer la meilleure alchimie en fonction du martyr à saluer. Il fallait greffer, hybrider, planter. Il fallait nourrir la terre, la fortifier. Il fallait attendre que la tige grandisse, qu'elle prenne branche et feuillage. Enfin, il fallait guetter l'éclosion de la fleur. C'était toujours la surprise. Toujours la découverte. Toujours le coup au cœur. Quelquefois la déception. Il pouvait y avoir du sublime, du bâtard, de la nullité. Surtout ne pas se décourager. Se nourrir à nouveau du personnage. Le relire, le revivre. Ne pas désespérer. La bâtarde peut cacher un calice en or. La nullité n'est pas faite que de défauts. Il faut laisser grandir ces hybrides affolants et les croiser jusqu'à multiplier les mutations.

Noam en était là de ses expériences. Comme en amour, il collectionnait des hauts et des bas. Quelquefois, entre Charme et lui, ça grimpait à toute vitesse vers l'extase. D'autres fois, ça descendait aussi rapidement vers le fond. Ils s'aimaient par saccades, par secousses. Leur couple reposait sur l'imaginaire. Il était né d'artifices, de prémonitions.

À force, Charme avait fait de Noam son jumeau. Lui-même y croyait plus ou moins, selon les cas et les humeurs. Était-il Verner ? Était-il Rosenweig ? N'était-il pas l'un et l'autre ? Un peu des deux ? Une personnalité éparpillée, déchirée, qui virevoltait au gré des vents et des événements. Heureusement, son travail était d'une telle intensité et lui demandait tant de concentration et d'abnégation qu'il s'y retrouvait. Il prenait de l'étoffe en même temps que du recul face à l'ambiguïté de la situation. Ça ne l'empêchait pas de se demander comment il réagirait, et même ce qu'il deviendrait, si les jumeaux faisaient tout à coup irruption au 2, rue des Rosiers. Charme éprouverait-elle encore quelque sentiment pour ce pauvre bâtard d'obtenteur qu'elle avait placé sur un piédestal ? Le noir, le froid. Il n'aurait plus qu'à prendre la porte.

Décidément, Noam ne tournait pas rond. Et Charme s'en désespérait. Elle l'aimait vraiment. Il était beau, intelligent, talentueux, écorché vif. C'était son double. Elle l'avait dans les yeux, dans la peau. Il était celui qu'elle apercevait toute petite, à l'affût, derrière sa fenêtre. Il était là-haut, quelque part dans le ciel. Il l'observait, il veillait sur elle. Un jour, il lui apparaîtrait pour de vrai...

Charme ne se posait pas de questions. Pour elle, Noam était cet enfant. Il avait tardé à se manifester. Maintenant, c'était chose faite. Il était là, chez lui, auprès d'elle.

Deux ans déjà. Les jeunes rosiers embaumaient les serres du presbytère. Il y avait des trouvailles, des merveilles d'invention. Et toute une moisson de ratés. Deux ans après les premiers semis, on avait tout juste de quoi honorer une petite douzaine de martyrs. C'était peu en regard des malheurs du peuple juif et des six millions de personnes exterminées qui espéraient recevoir une rose. Six millions, c'était énorme. Les trois quarts étaient partis en fumée. L'autre quart gisait en Russie dans des fosses communes creusées par les victimes elles-mêmes. Les Allemands ne prenaient pas la peine de déporter les Juifs russes. Pas de rails, pas de locomotives, pas de convois, pas de camps. On les fauchait sur place, à la mitrailleuse. Quand le trou était rempli, on passait au suivant.

Vint le temps où Noam déserta la rue des Rosiers. Il ne rentrait qu'un jour ou deux par semaine. Charme enrageait. Parfois, elle rusait et débarquait au presbytère à l'improviste.

Il l'engueulait. Sa présence déplaisait aux rosiers. Ça leur prenait la tête. Quant à lui, incapable de se concentrer, il perdait ses moyens.

Noam revendiquait un statut d'artiste. Il se voyait en grand peintre, en grand compositeur, en grand inventeur, en grand manipulateur de gènes. Et comme tout génie, il créait dans la solitude et la fébrilité. Le moindre chuchotement, un frôlement même anodin contrariaient l'inspiration.

Il s'en expliquait. Elle devait comprendre. Il travaillait aussi pour elle. Et même avec elle. Il illustrait ses pages, ses écrits. Qu'elle se rassure, elle était avec lui. Elle le guidait. Il la suivait.

Elle racontait les horreurs de la rue, la détresse des persécutés.

Il écoutait. Il s'appliquait à façonner ses roses aux couleurs de la tragédie qu'elle décrivait, et ses roses étaient faites d'âmes ressuscitées au petit bonheur de sa lecture. Mais peut-on encore parler de petits bonheurs quand il s'agit d'une suite ininterrompue de grands malheurs ?

Noam disait vrai : ses rosiers poussaient sur les abominations que Charme avait répertoriées dans la rue et le quartier. Les roses naissaient de la fange comme autant de petits miracles surgis du fumier.

Le miracle, c'était le coup d'œil de Noam, cette façon qu'il avait de préfigurer la fleur à partir des tragédies vécues et du caractère de la victime. La rose prenait alors forme et couleur, tempérament et senteurs. Elle restituait la vie au défunt. Et celui-ci s'exprimait à travers elle.

Charme avait fini par admettre cette semi-séparation de corps.

Au jeu des mots et des actes, l'amour s'en tirait à peu près indemne. On était malheureux de se quitter, mais pas toujours heureux de se retrouver.

Charme faisait semblant de s'en accommoder. C'était faire fi du destin.

Soudain, un événement auquel plus personne ne s'attendait dans la famille vint bousculer cet arrangement sentimental.

À cinquante ans de distance, parvenait au 2, rue des Rosiers, une lettre d'Abraham Seltzer, le géant polonais. Celui-ci se rappelait au souvenir de Charles Delestaing et annonçait sa visite pour les prochains jours. Il s'excusait pour ce long silence indépendant de sa volonté. Il disait détenir depuis peu des révélations capitales concernant le sort des jumeaux Rosenweig.

Le géant avait-il perdu le sens du temps ? Il s'adressait à Charles et Manon. Sans doute ignorait-il leur décès comme il ignorait la mort de Louis et Camille, les parents de Charme. Trois générations de Delestaing s'étaient succédé dans l'appartement des Rosenweig.

Avec cette lettre, ce fut comme si la foudre était tombée aux pieds de Charme.

La nouvelle était de taille. Noam abandonna aussitôt la serre et rentra à Paris.

Chemin faisant, il pensait aux conséquences qu'auraient ces probables révélations sur sa propre personne. En quelques mots, en quelques secondes, ne risquait-il pas de retourner à la case départ ? Autrement dit, d'abandonner ce double de Rosenweig pour réintégrer la peau de Noam Verner, fils de Raymond et Ginette Verner ?

Charme lui avait bâti un passé idéal, si bien qu'au bout d'un moment, il s'était glissé confortablement dans la peau des petits disparus. Bien des choses, bien des signes concordaient pour faire croire qu'il avait vécu par bribes d'autres existences extrasensorielles, jusqu'à mémoriser des lieux où il n'était jamais allé et des faits qu'il n'était pas censé connaître.

Dans son travail, cet aspect médiumnique donnait un « plus » au jeune obtenteur, et il en usait largement pour mieux se rapprocher du sujet à traiter.

De son côté, Charme était aux prises avec des doutes similaires : les divulgations d'Abraham Seltzer ne risquaient-elles pas de détruire ce qu'elle avait si hasardeusement échafaudé à partir d'une intuition obsessionnelle proche de la névrose ? Le géant n'allait-il pas balayer d'un coup cette construction mentale basée sur le remords et la mauvaise conscience de toute la famille Delestaing ?

Elle était partagée : d'une part, elle avait confiance en son instinct, en son choix. De l'autre, elle se disait qu'elle aurait enfin une réponse à toutes les suppositions et les extrapolations liées à la disparition des jumeaux.

La lettre était datée du 17 août 2001. Rédigée sur papier à en-tête de l'hôtel *Vistula*, et postée le même jour de Varsovie, elle concernait l'ensemble de la famille Delestaing, toutes générations confondues. Si l'enveloppe ne mentionnait que Mme et M. Delestaing, la lettre s'adressait en clair aux occupants actuels de l'appartement, quels que soient leur âge et leur profession.

Il semble qu'Abraham Seltzer ait eu confirmation qu'un ou une Delestaing détenait toujours le trois pièces de Chaïm Rosenweig ainsi que le deux pièces de Rosa Zelasny, le tout raccordé par la toiture mansardée et ne formant qu'un seul et unique logement.

On ne sait pourquoi le vieil homme, qui allait

maintenant sur ses 86 ans, tenait à ces détails d'architecture intérieure. Peut-être était-ce une manie de la précision ? Un tic de la mémoire ? Un début de gâtisme ? Quoi qu'il en soit, la configuration du domicile était enregistrée dans son esprit et n'avait pas bougé d'un centimètre en un demi-siècle.

Le géant polonais s'inquiétait de savoir si l'on avait procédé à des travaux de réfection, voire à des transformations plus importantes.

Mais les démarches ne s'étaient pas arrêtées là. À tout hasard, il rappelait à Charles Delestaing la série d'annonces parues sur plusieurs mois dans les quotidiens du sud de la France. Et ce rappel venait fort à propos, car il permettait à Abraham Seltzer d'évoquer les péripéties nouvelles découlant directement de cette initiative ancienne.

D'année en année, il annonçait sa visite pour bientôt. C'était une question de jours. Il devait encore vérifier certains faits, certains dires.

Pour l'heure, il était à Varsovie, occupé à débrouiller une ténébreuse affaire d'héritage portant sur les indemnités octroyées par le gouvernement allemand aux victimes de la barbarie nazie.

Ayant repris récemment du service, en dépit de son âge avancé, Abraham Seltzer terminait sa lettre par une considération amère : « Ah, si vous saviez combien de ces victimes du nazisme réduites à néant sont aujourd'hui la proie d'escrocs juifs et de simulateurs prêts à les dépouiller de leur âme ! »

Charme ne tenait plus en place. Décidée à joindre le colosse dont on parlait dans la famille depuis un demi-siècle, elle appela l'hôtel *Vistula* à Varsovie. Ça ne donna pas grand-chose. Une première personne, sans doute le concierge, le dit sorti. Et quand Charme voulut laisser un message, quelqu'un d'autre intervint et signala que M. Seltzer n'habitait plus l'hôtel depuis la veille.

Charme insista. Elle voulait savoir s'il était toujours à Varsovie, ou s'il avait pris l'avion pour la France.

Elle attendit. On se renseignait auprès du portier. Il y eut une conversation en polonais. On la prit à nouveau :

— Non, madame, le portier n'a pas commandé de taxi pour l'aéroport.

Déçue, elle pianota sur son ordinateur. Elle nota les téléphones de tous les hôtels de Varsovie et commença par joindre les cinq étoiles.

À l'*Intercontinental*, au *Bristol*, au *Marriott*, on n'avait aucun client de ce nom.

Des palaces, elle passa aux établissements chics et confortables. Là non plus, pas trace du géant polonais.

Elle attaqua alors les trois étoiles, puis les deux.

Elle en était à son vingt-septième coup de fil quand la standardiste, qui maîtrisait mal l'anglais, lui demanda de patienter. Il y avait bien un M. Seltzer, chambre 39, mais il occupait déjà sa ligne.

Cœur battant, un creux au plexus, Charme fit

signe à Noam de s'approcher et ils attendirent que la ligne se libère.

Collé contre elle, Noam releva sa chevelure rousse et dégagea la nuque qu'il couvrit de petits baisers discrets. C'était tendre, affectueux. Juste ce qu'il fallait pour la circonstance.

Au bout d'un moment, une voix rocailleuse explosa dans le récepteur demandant dans la langue de Lech Walesa à qui il avait affaire.

Déroutée, Charme balbutia :

— Je cherche M. Abraham Seltzer.

La voix tonna en mauvais français :

— Moi, Stanislas Seltzer, pas Abraham !

Elle risqua :

— Connaissez-vous Abraham ?

— Abraham, je connais. Lui vouloir égorger son enfant. Lui préféré manger agneau envoyé par Dieu.

Noam ne put se retenir. Il partit d'un éclat de rire.

Charme dut raccrocher et fut prise à son tour d'une quinte nerveuse.

— C'est génial ! répliqua-t-il en riant de plus belle.

Le rire passé, elle revint à la charge. Elle abandonna Varsovie au profit de New York. Sait-on jamais, les petits-cousins qui abritaient Abraham pourraient peut-être la renseigner sur les intentions du grand-oncle.

Elle dut y renoncer. Rien que pour New York,

le Net donnait une liste impressionnante de Seltzer.

Il ne restait plus qu'à attendre la visite annoncée. « Dès que possible », disait-il dans la lettre. En 1955, il avait employé la même formule. Tout cela n'était pas bon pour le moral. L'un comme l'autre ne cessaient d'interpréter, de gamberger. On construisait sur des suppositions. On supposait sur des constructions archifantaisistes. Et tout à coup, la réalité s'imposait, implacable, à savoir qu'elle se situait immanquablement entre deux options : ou bien les jumeaux étaient morts, ou bien ils étaient vivants.

L'un et l'autre avaient espéré fiévreusement la venue d'Abraham Seltzer. Sa lettre laissait entendre une arrivée imminente.

Il n'en était rien. Les jours passaient et le géant se fondait dans un épais silence.

L'attente était éprouvante. Impossible de reprendre une vie normale. On devenait nerveux. On s'irritait d'un rien. Le couple en pâtissait. Les fleurs s'en plaignaient. Noam délaissait même la serre. Il n'y allait qu'en coup de vent. Il n'y donnait que les soins essentiels et rentrait à Paris dans son 4 × 4 de jardinier, un gros bahut encombré de matériel et de rosiers arbustifs, des laissés-pour-compte bons à brûler. Il ne parvenait pas à s'en défaire. Il était comme cela. Il jetait à regret ce qu'il était contraint d'arracher.

Le géant polonais ne se manifestait toujours pas. On se posait des tas de questions. Que lui était-il arrivé ? Était-il tombé malade ? Avait-il perdu la mémoire ? La vie n'avait-elle pas déjà fait le coup aux grands-parents de Charme ? « Salut ! Au revoir ! » puis, plus rien. Un immense trou noir jamais comblé.

Au bout de six mois, comme on était toujours sans nouvelles d'Abraham Seltzer, la vie reprit ses droits. Le couple se retrouva. Il y eut des rires, des joies. Plein de petits bonheurs simples vinrent compenser les angoisses des jours passés, et récompenser les efforts du rosiériste.

La serre de Provins croulait sous les créations originales : des hybrides exceptionnels, des inventions uniques, des baroques, des classiques, des provocantes. Il y avait des Quatre Saisons, des Vivaldi, des Requiem. Les unes parées d'une sombre beauté, les autres pâles comme la mort. Il y avait des roses rouges comme le sang, des roses noires, des ténébreuses, des roses de berceau, des roses de tombeau, des roses de fosse commune, des roses de crématorium.

Et puis, surtout, inoubliable, il y avait la rose d'Auschwitz, un hybride de Ravensbrück et de Damaskena, croisé de Fayoum, une rose faite de mille larmes et de mille sépales qui débordaient d'un calice gros comme le cœur. Et puis suivait la Rosenweig, une violacée aux striures dorées, qui imposait le respect dans son écrin lacté d'une blancheur d'innocence.

Noam était sur la Seltzer, une géante, un hybride de polonaise et de lituanienne, un genre Ghetto de Varsovie croisé du Mur des Lamentations.

Encore quelques expériences, quelques retouches, et la rose du Temple verrait le jour.

Noam s'était inspiré de Salomon, de David, mais encore de Josias et d'Hérode. Cette rose du Temple, Noam la dédiait à Rabi Yéhiel, qui défendit passionnément les valeurs du judaïsme durant le procès fait au Talmud par l'infâme Nicolas Donin.

La rose du Temple touchait à la perfection. Mais elle avait une faille : son parfum s'altérait. Elle dégageait pourtant des effluves d'Orient, un cocktail épicé de myrrhe et d'ambre, avec, en arrière-nez, une fragrance de cannelle et de coriandre. C'était lourd et capiteux, envoûtant à souhait. Hélas ! dès qu'on la cueillait, ses senteurs s'éventaient. Dans le sillage de la tige coupée ne traînait qu'une légère émanation poivrée. C'était trop anodin, pas assez solennel.

Noam quitta la serre à regret. Il avait promis la nuit à Charme. Tant pis. Il verrait cela plus tard. Et « plus tard », cela voulait dire tout recommencer, repenser sa rose, l'étoffer, la musquer.

« Plus tard », c'étaient des mois d'essais et des années de patience. Il fallait planter, laisser pousser, voir grandir, bouturer, greffer. Il fallait ensorceler le jeune rosier, lui donner une âme et des sentiments humains.

Cette fois, Abraham Seltzer était arrivé sans prévenir.

Précédé par Rachel, la libraire, il portait l'escabeau d'une main et tenait, de l'autre, une housse en plastique.

À 86 ans, Abraham Seltzer paraissait encore vigoureux. Il flottait dans sa lourde pelisse, mais ça ne l'empêchait pas de monter les trois étages sans trop souffler.

Parvenu sur le palier, il posa l'escabeau, arrangea sa toque de fourrure et vérifia son nœud de cravate.

Ce geste de coquetterie étonna Rachel. Était-ce bien le moment ?

Rachel, c'était l'amie, la confidente de Charme. L'une était juive, l'autre pas. Les deux femmes s'estimaient. Elles avaient la même sensibilité et se comprenaient d'un seul regard. Inutile de parler. Elles lisaient sur leurs lèvres muettes. Aussi, quand Charme ouvrit la porte et découvrit son amie en compagnie du géant, elle sut que la vérité se tiendrait tout à l'heure au bout de cet escabeau qui servait d'ordinaire à sortir quelques volumes des rayonnages les plus hauts.

Son sang ne fit qu'un tour. Elle avait tout imaginé, sauf cela. Du moins, elle ne pensait plus à cette éventualité depuis si longtemps qu'elle avait fini par oublier que son appartement ait pu servir de prison aux jumeaux.

Enfant, elle regardait le plafond, les placards et cette avancée, là, au-dessus de la fenêtre.

Enfant, elle se disait que les jumeaux l'entendaient et la voyaient.

Plus tard, adolescente, puis adulte, Charme interpréta les choses autrement : il n'y avait pas seulement les jumeaux. Il y avait aussi tous les autres suppliciés, tous les assassinés, tous les brûlés vifs. Bref, tous ceux qu'on avait massacrés rue des Rosiers au cours des siècles et des émeutes.

Charme entendait leurs cris à travers ses murs. Et les murs se plaignaient. À certaines heures, ils geignaient ; à d'autres, ils chuchotaient. Elle se disait que les murs se délivraient ainsi des tragédies qui s'y étaient déroulées, et qu'ils avaient innocemment couvertes de leur épaisseur.

Elle y croyait. Ça se tenait !

Tout à coup, à la vue de cet escabeau, Charme réalisait qu'elle s'était trompée. C'étaient ses murs, rien que ses murs à elle qui pleuraient l'agonie des jumeaux.

Rachel fit les présentations. C'était maladroit, tendu. L'ambiance pesante préfigurait un climat insoutenable.

Durant un temps assez long, tous se regardèrent en essayant de comprendre ce qui allait arriver.

Au bout d'un moment, le géant polonais rompit le silence et flatta Charme :

— Vous êtes aussi jolie que votre grand-mère.

Elle s'entendit le remercier du compliment. C'était stupide, déplacé.

Le compliment fut suivi d'une demande :

— Il ne vous resterait pas un fond de calva, des fois ?

Charme s'y attendait. Elle avait préparé la bouteille après avoir reçu la lettre.

Sa grand-mère l'avait prévenue : « C'était un diable d'homme. Il buvait sec, ça lui réchauffait le sang ! »

Elle s'en souvenait encore.

Elle mit des verres sur un plateau et posa le tout sur la table.

Noam prit la bouteille et servit tout le monde. Il regarda le vieillard et proposa :

— Serait-il déplacé de trinquer ?

— Pas du tout, répliqua le géant.

— Alors trinquons ! dit Charme, en avançant son verre contre celui d'Abraham Seltzer.

Elle fit un effort.

Les tintements détendirent un peu l'atmosphère.

Le géant but cul sec en claquant la langue, puis il poussa à nouveau son verre vers la bouteille.

À la troisième tournée, quelque peu réchauffé, il dit :

— Vous savez pourquoi je suis ici, n'est-ce pas ?

Ils le pressentaient, mais ils n'osaient encore y croire. C'était trop pénible...

Ils ne répondirent pas et se contentèrent de hocher la tête.

— Voici, reprit Abraham Seltzer de son fort

accent polonais, quand Chaïm et Sarah Rosenweig furent arrêtés, les jumeaux étaient chez Mme Zelasny.

D'un geste, il désigna le couloir qui menait à l'ex-deux pièces de Rosa, et poursuivit :

— Après la rafle, désemparée, ne sachant que faire, Rosa aménagea une cache dans la soupente, quelque chose d'étroit et de ouaté, avec juste assez d'aération pour permettre aux bébés de subsister quarante-huit heures.

Au moindre bruit suspect, un grincement dans l'escalier, un pas dans la cour, elle y cachait Élie et David.

Environ une semaine après la rafle du Vel d'Hiv, Rosa reçut un message de Chaïm. Un mot, écrit à Drancy, l'adjurait de tout faire pour protéger les jumeaux. Chaïm promettait une récompense conséquente et lui indiquait qu'il dissimulait une centaine de pièces d'or dans la tringle de cuivre qui ornait sa cuisinière.

Quelque temps plus tard, elle entendit une voix derrière sa porte.

La voix donnait des nouvelles de Chaïm et de Sarah.

La voix s'inquiétait du sort des jumeaux.

Rosa n'avait pas ouvert.

Charme et Rachel se tenaient par la main. Elles écoutaient l'homme disposer ses mots sur le puzzle qu'elles n'avaient jamais réussi à compléter.

Le géant n'arrêtait pas de frissonner. Il demanda un autre verre et poursuivit :

— Rosa compta les pièces et les remit dans la tringle. Il y avait là une petite fortune. Ça lui permettrait de voir venir et de placer les jumeaux chez sa sœur, à Pontoise. Malheureusement, Perla refusa. Elle vivait avec un collabo et ne pouvait les héberger. Elle n'avait pas tort. Quelque temps plus tard, son compagnon dénonçait Rosa comme Juive. Elle était prétendument munie d'un faux certificat de baptême.

Seltzer parlait d'une voix froide où perçait, malgré tout, l'émotion.

Côté tragédie, il était « blindé ». Ça ne l'empêchait pas de compatir :

— Quand on vint arrêter Rosa, les jumeaux dormaient dans la soupente. Elle eut peur que l'on entende les petits, elle suivit sans résister les agents de la Gestapo. Croisant une voisine qui habitait le rez-de-chaussée, elle lui cria : « S'il vous plaît, Lucie, prévenez ma sœur. Dites-lui que les Boches m'embarquent ! Dites-lui qu'elle vienne couper le gaz et l'électricité ! Dites-lui bien que c'est urgent ! Elle comprendra ! »

Rosa se méfiait de Lucie. C'était une mauvaise femme. Mais elle n'avait pas le choix. Il n'y avait personne d'autre dans l'immeuble.

Le cœur serré, mal à l'aise, Noam écoutait les explications du géant. Il perdait peu à peu contenance. D'ici quelques minutes, c'était sûr, il allait retourner au diable. Il était tout juste bon à finir ses jours chez les Verner ou à reprendre du service chez les Roux.

Désappointé, malheureux, il cherchait tristement le regard de Charme. Quand il réussissait à l'accrocher, il avait l'impression qu'elle se dérobait.

Pour donner le change, il resservit un calva au Polonais. Celui-ci remercia. Il avait froid. Ça le réconfortait.

Il but d'un trait et continua :

— Perla accourut aussitôt. Elle n'était pas si mauvaise qu'on le croyait. Elle s'occupa bien des petits. Elle resta même la nuit. Elle craignait qu'ils ne se mettent à hurler.

Bien sûr, Perla se récompensait largement. Avec les pièces d'or, elle s'achetait des vêtements de luxe, une rareté pour l'époque. Des vêtements, mais aussi des chaussures à semelles de cuir, des bijoux, des fanfreluches, toutes sortes de choses qui se négociaient au marché noir.

Revenue à Pontoise pour quelques heures, elle fut méchamment questionnée. Aux mots, le marlou ajoutait des coups. Il voulait apprendre d'où elle tenait ses habits, d'où elle tirait son argent.

Se voyant perdue, Perla mentit pour sauver les enfants. C'était courageux, très courageux. Elle avoua des amants, des industriels, des hommes d'affaires...

Fou de colère, il la tabassa et l'enferma dans le sous-sol du pavillon.

Le géant dut s'interrompre. Il lui fallait juguler la crise. Il tremblotait des pieds à la mâchoire. Il claquait des dents, battait l'air avec ses bras comme on le fait pour se réchauffer les jours de grand froid. C'était impressionnant.

Il s'excusa et continua avec difficulté :

— Naturellement, Perla pensait aux jumeaux. Elle se disait qu'ils étaient probablement à l'abri. Avec un peu de chance, les Allemands auraient déjà libéré Rosa. Qui sait si les Rosenweig, eux aussi, n'étaient pas revenus de Drancy ? Au pire, la voisine du rez-de-chaussée les avait entendus pleurer. Peut-être les avait-elle recueillis et placés chez d'autres gens ?...

Seltzer se leva tout à coup. Il y eut un bruit de chaises repoussées, des piétinements.

Tout le monde maintenant était debout, sur le qui-vive.

Il attrapa l'escabeau et gagna la pièce mansardée. Il le dressa contre une poutre et grimpa quatre barreaux. Ça suffisait. Il était à la bonne hauteur. Se tournant vers Noam, il demanda :

— Passez-moi les outils, s'il vous plaît.

Noam ouvrit le sac. Il tremblait autant que le géant. Le froid n'y était pour rien.

Du sac, il sortit un pied-de-biche et un marteau :

— Laissez-moi faire, dit-il au vieil homme.

— On verra ça tout à l'heure, répondit le Polonais en ajoutant aussitôt : Vous savez, ce n'est pas la première fois que je démonte ce genre de cachette. Elles sont toutes fabriquées de la même manière. On doit d'abord arracher le papier peint. Ensuite, on devrait apercevoir la trappe par laquelle on accède à la soupente.

Il se tourna vers Charme et demanda soudain :

— Est-ce vous qui avez tapissé cette pièce ?

— Je n'ai touché à rien, répondit Charme.

— C'est votre père, alors ?

— C'est possible, à moins que le papier n'ait été posé par mon grand-père.

— Que ce soit l'un ou l'autre, marmonna le géant, la trappe, même parfaitement refermée, se voyait à l'œil nu. Ils n'étaient vraiment pas curieux, vos parents !

La réflexion blessa Charme. Heureusement, Rachel la tenait toujours par la main.

Quand le contour de la trappe apparut sous le papier peint, Rachel dut la soutenir.

C'était terrible ! Les murs recommençaient à gémir. Elle entendait des pleurs, des cris...

Le géant travaillait vite. Du plâtre, des gravats tombèrent. Il lâcha le marteau pour le pied-de-biche. Il engagea celui-ci dans l'étroite fente et appuya sur le levier. Il y eut un craquement, un couinement de gonds rouillés, et la trappe bascula de l'autre côté.

— Passez-moi la torche, demanda le Polonais.

Il prit la torche que lui passait Noam et dirigea le faisceau à l'intérieur de la cavité.

Un silence pesant accompagnait ses gestes.

Tous regardaient le vieil homme perché sur l'escabeau de la libraire. Et tous attendaient, souffle coupé, un commentaire de sa part.

Au bout d'un moment le géant descendit. Il paraissait véritablement bouleversé.

Il regarda Noam et dit :

— Je suis trop grand pour rentrer dans ce réduit. C'est à vous d'y aller maintenant !

Charme rassembla ses forces et murmura :

— Vous avez vu quelque chose ?

— Sincèrement, je ne comprends pas, répondit le géant d'une voix fatiguée, je n'ai aperçu qu'un seul des deux petits.

La phrase glaça tout le monde.

Noam monta à son tour. Il n'en menait pas large.

Au moment où il s'apprêtait à pénétrer dans la cache, Abraham Seltzer prit la housse et la lui tendit :

— S'il vous plaît, placez-y le corps avec soin.

Noam éclaira le réduit et se faufila à l'intérieur.

Il n'y avait en effet qu'un seul petit corps momifié dans sa barboteuse en lambeaux.

Le crâne était lisse, les orbites bien nettoyées.

Détaché du corps, le squelette du bras droit reposait sur le côté. On pouvait compter les phalanges des doigts. C'était net.

Noam étala le sac et déposa l'enfant à l'intérieur.

Était-ce Élie ? Était-ce David ?

Abraham Seltzer attendait au pied de l'escabeau. Il prit délicatement la housse des mains de Noam et dit :

— Je n'avais pas prévu cette fin. C'est mieux comme ça. Il nous reste un jumeau quelque part. Chaïm doit être content...

— Est-il vivant ? demanda Rachel.

— Bien sûr qu'il est vivant ! s'écria Charme, soudainement délivrée.

— Tenons-le pour vivant, trancha Abraham Seltzer. Que ferions-nous sans espoir ? Que ferions-nous sans y croire ?

Penché sur la dépouille du bébé Rosenweig, Noam imaginait la rose qu'il allait lui dédier.

Elle devrait dégager ce parfum suranné des momies, une senteur de sous-bois. Elle s'ornerait de pétales parcheminés, d'une corolle translucide. Elle aurait la couleur ivoire du jeune squelette.

Charme n'osait pas regarder.

Le géant enroula les restes du bébé dans une couverture. Il tira d'un geste sec sur le Zip de la housse.

Elle eut l'impression que le crissement de la fermeture Éclair lui déchirait l'épiderme.

Sans mot dire, il prit le paquet dans ses bras. On le sentait impatient de partir.

— Où l'emmenez-vous ? murmura Charme.

Elle aperçut une lueur chaleureuse dans les yeux du vieillard.

Il répondit :

— Mais dans mon propre caveau, mademoiselle.

Comme elle le regardait, incrédule, il précisa :

— J'ai acheté une concession dans les environs d'Albi. C'est un endroit que je connais bien. C'est là que je les enterre. Et ils sont déjà nombreux, vous savez !

— À Brajas ? demanda Noam.

— Permettez-moi de garder l'endroit secret. Il sied au recueillement. Et je vous y inviterai lorsque je ne serai plus de ce monde.

Il éclata d'un rire franc et s'avança vers la porte.

Une question brûlait les lèvres de Noam. Il la posa :

— Excusez-moi, mais pour l'appartement, que doit-on faire ?

Comme le géant semblait ne pas comprendre, il ajouta :

— Peut-on y rester, ou doit-on vous l'acheter ?

— L'acheter ! lança le Polonais, mais pourquoi donc ? Il est à vous maintenant.

— À moi ? répéta Noam, profondément troublé.

— Mais oui, c'est vous le propriétaire.

Le géant s'engagea dans l'escalier et se retourna tout à coup.

Ils étaient là, tous les trois, à le regarder partir.

Il dit à Noam :

— Vous m'obligeriez en ramenant l'escabeau à la librairie !

Il eut un geste pour Charme. Quelque chose qui voulait tout dire. Ça dépendait comment on le prenait.

Ils l'entendirent descendre d'un pas lourd.

Ils allèrent à la fenêtre.

En bas, la rue des Rosiers était joyeuse. Il faisait beau et chaud. Les terrasses affichaient complet.

Charme prit Noam contre elle. Elle le serra très fort et dit :

— Tu as compris, n'est-ce pas ?

Comme il restait silencieux, elle ajouta :

— Le bébé, c'est ton oncle !

Il n'avait pas fait le rapprochement. Il la trouva délicieusement cynique.

N'empêche, il réalisait à présent qu'entre cet oncle et lui-même, il y avait un certain Raymond Verner.

Il devrait s'y habituer...

Chapitre II

Eva Klotzmann n'était toujours pas revenue du crématorium.

Les gens s'impatientaient.

Le temps était à l'orage. Il faisait chaud et poisseux.

Les hommes s'épongeaient le front, le cou.

Les femmes s'éventaient avec le faire-part.

Assis autour d'une table de jardin vert pomme, le notaire et son clerc faisaient semblant de s'intéresser à un gros dossier. À vrai dire, ils somnolaient et se décrochaient la mâchoire à qui mieux mieux.

Deux servantes, dans la soixantaine, passaient entre les convives. L'une proposait des amuse-bouches, l'autre des boissons fraîches.

Elles avaient les jambes enflées et affichaient un comportement de circonstance.

Dans le prolongement du parc arboré d'araucarias et de cèdres, mais encore de tilleuls et d'aulnes, de pins sylvestres et de séquoias géants, on apercevait une piscine laissée à l'abandon.

Le parc ne valait guère mieux, tant il était négligé. De hautes herbes léchaient le tronc des arbres. La pelouse était râpée. Le terrain, défoncé et craquelé. Et que dire de la bâtisse elle-même avec ses murs austères qui conservaient comme une lèpre leur crépi d'autrefois ?

De tondu, d'arrosé, d'entretenu, il n'y avait que le petit cimetière, sorte d'oasis paisible, situé à l'arrière de la demeure. C'était un ancien verger dont on avait conservé les arbres fruitiers.

Tirées au cordeau, les tombes de granit brut s'alignaient de chaque côté d'une allée de gravier rose.

Curieusement, c'était plaisant à regarder.

Un peu moins plaisantes étaient ces trois sépultures d'enfants. Elles tourmentaient les visiteurs.

Délaissant les invités qui se répartissaient par petits groupes sous l'ombrage des grands cèdres, Noam et Charme s'étaient dirigés vers ce carré de verdure où reposaient huit innocents.

Il y avait là Noé Klotzmann, un jeune résistant juif tombé en 1944. Le géant avait récemment rapatrié son corps. Il n'y avait pas loin de Brajas à Carjac, à peine douze kilomètres.

Ceux de Brajas, qui l'avaient enterré dans le cimetière communal, ne savaient pas grand-chose de ce jeune homme, sauf qu'il s'était évadé de Drancy pour rejoindre, dans leur région, un maquis qualifié de sioniste.

Abraham Seltzer, Polonais émigré, en savait bien davantage sur Noé que tout autre.

Noé, c'était le petit frère de Mina, la pianiste aux doigts brisés, qu'il avait aimée à Auschwitz.

Noé, c'était l'oncle de Milena. Un oncle jamais connu.

Noé, c'était la fierté d'Eva, l'Australienne : Eva, la fille de Seltzer et de Milena, une beauté fatale, une fleur carnivore qui intéressait déjà Noam, l'obtenteur.

Tous, ou presque, se retrouvaient aujourd'hui à Carjac.

C'était la volonté d'Abraham.

Avant d'être arrêté et déporté, il avait combattu avec Noé dans ce même maquis à prédominance juive.

Il avait vu tomber Noé.

Touché d'une balle à la gorge, l'adolescent vomissait le sang.

Seltzer le chargea sur son dos et courut à travers la forêt. Il croyait échapper aux miliciens. C'était vain. Ils étaient partout. Ils tiraient rageusement.

Criblé de balles, le corps de Noé avait fait rempart. Seltzer s'en était tiré.

À quoi bon ? Que valait la vie ?

On l'emprisonna. On le tortura. Pour finir, on le renvoya chez lui, en Pologne.

Chez lui, c'était un petit village tranquille à deux pas d'Auschwitz. Du clocher de l'église, par beau temps, on apercevait les baraquements du camp.

Par mauvais temps, quand le vent soufflait d'ouest en est, il rabattait la fumée des crématoires vers le village.

Avec la fumée venait une odeur de grillades.

Au début, les villageois s'en étonnaient. Ils se disaient que les SS « barbecuisaient » jour et nuit, jusqu'à la maniaquerie.

Et puis, peu à peu, ils apprirent la vérité : on ne cuisait pas des cochons. On cramait des Juifs. C'était dérangeant. Alors, on évitait d'y penser.

Les sépultures de ce petit cimetière privé prouvaient l'attachement d'Abraham Seltzer aux promesses du passé.

Fidèle à la parole donnée, il avait pisté ces fantômes durant des années.

Il possédait peu d'indications : un prénom, un nom de famille, une adresse où plus personne n'habitait. Pour une énigme résolue, que de cas restés dans l'ombre et jamais élucidés. Certes, il était plus aisé de retrouver les vivants que de se mettre à courser les morts. Avec les vivants, on savait assez rapidement s'il s'agissait des gens que l'on recherchait. Avec les vivants, ce n'était qu'une affaire de mémoire. Avec les morts, la mémoire était à refaire.

Et Seltzer avait fait ce travail de mémoire. Il avait rendu les morts à leurs vraies familles, des familles qui n'existaient plus.

N'empêche, il avait réuni les exterminés des camps et les rescapés des rafles dans un seul et même souvenir.

Ces tombes en témoignaient. Les inscriptions qui y étaient gravées donnaient un sens concordant au souvenir.

Ça serrait les cœurs. Ça faisait froid dans le dos...

Sur la tombe de Noé, on pouvait lire :

« Noé Klotzmann, mort au combat le 20 août 1942, à l'âge de 15 ans.

Fils de Mina et Chlomo Klotzmann, exterminés à Auschwitz les 6 et 12 janvier 1943. »

Trois autres dalles de granit suivaient celle de Noé.

Il y avait Anton Slavinovitch, 18 ans, récemment ramené de la Creuse où il se désespérait en fosse commune depuis 1943.

On pouvait lire :

« Anton Slavinovitch, fusillé à Guéret par la Milice le 22 juin 1943. Fils d'Ana et d'Isaac Slavinovitch, exterminés à Auschwitz le 20 juin 1943. »

Tout près d'Anton, sa sœur Ida.

On pouvait lire :

« Ida Slavinovitch, 16 ans, abattue à Clermont-Ferrand le 3 juillet 1943, devant le siège de la Gestapo. Fille d'Ana et d'Isaac Slavinovitch, exterminés à Auschwitz le 20 juin 1943. »

La troisième tombe renfermait la dépouille d'un adulte.

On pouvait lire :

« Yosef Rainstein, 33 ans, liquidé le 2 décembre 1943 par des gardes suisses, à quelques pas de la

frontière. Fils de Lifa et de Shalom Rainstein, exterminés à Auschwitz les 22 et 24 juin 1943.

Frère de Pauline Rainstein, 28 ans.

Frère de Rachel Rainstein, 26 ans.

Frère de Samuel Rainstein, 27 ans.

Tous trois exterminés à Auschwitz en juin 1943.

Oncle de Salomon Rainstein, 6 ans, fils de Samuel Rainstein.

Oncle de Sacha Rainstein, 4 ans, fils de Samuel Rainstein.

Tous deux exterminés à Auschwitz en juin 1943. »

Ça serrait les cœurs. Ça prenait aux tripes.

Malgré tout, le verger respirait la paix.

Fascinés par ce qu'ils découvraient, Charme et Noam n'écoutaient même plus le bavardage de cette centaine de personnes, amis et connaissances venus aux obsèques d'Abraham Seltzer dont on attendait toujours les cendres.

Étrange chose en vérité que cette volonté d'être incinéré quand on a vu tant d'individus partis en fumée.

Seltzer culpabilisait-il d'avoir échappé à la chambre à gaz ? Se réduisait-il en cendres pour échapper au piège de la terre ? Préférait-il être poussière que cadavre putréfié ?

Il avait vu autant de corps boursouflés et puants jetés à même les fosses qu'il avait pelleté de tonnes de cendres. Difficile de s'en débarrasser. On en épandait dans les champs. C'était du bon engrais.

De l'autre côté de l'étroite allée, l'espace d'un crissement de gravier, trois sépultures d'enfants chagrinaient l'herbe. C'était à la fois triste et beau, injuste et révoltant.

Le lieu brisait les voix. On ne parlait qu'à gorge serrée.

Ou alors, on ne disait rien. On partageait le silence des morts. On communiait devant ces vies raccourcies : trois petits corps invisibles.

Les plaques parlaient pour eux.

De gauche à droite, et dans le sens de la visite, on lisait :

« Rebecca Goldmann, 3 ans, morte à Drancy le 11 août 1942. Fille d'Israël et de Jennifer Goldmann, exterminés à Auschwitz le 14 janvier 1944.

Sœur de Sarah et d'Ana Goldmann, 6 et 8 ans, exterminées à Auschwitz le 9 septembre 1944.

Sœur de Marcel Goldmann, 11 ans, exterminé à Auschwitz le 9 août 1944. »

Un peu plus loin reposait une autre fillette. La plaque disait :

« Ci-gît Raymonde Kupermann, 5 ans, morte à Drancy en septembre 1942. Fille de Itzak et Annath Kupermann, exterminés à Auschwitz les 12 et 13 février 1944. »

Suivaient ses deux frères aînés : Marcel et Charles, 8 et 10 ans, exterminés à Auschwitz le 8 février 1944.

Enfin, la troisième petite tombe parlait plus particulièrement à Charme Delestaing, car le bébé qui reposait maintenant en terre avait occupé durant soixante ans la soupente de son appartement.

On pouvait lire :

« Ci-gît Élie Rosenweig, 11 mois. Fils de Sarah et Chaïm Rosenweig, exterminés à Auschwitz les 8 et 18 janvier 1943. Frère de David Rosenweig. »

Du cimetière où il s'était mis à l'écart, Noam n'en surveillait pas moins les allées et venues de voitures et de personnes.

Bien sûr, il attendait le retour d'Eva. Il avait eu le coup au cœur pour cette jeune femme : quelque chose d'immédiat, de spontané.

Elle lui avait rendu son sourire et il s'en était suivi tout un jeu de regards et d'attitudes, un code qui n'échappa guère à Charme.

Celle-ci savait, par expérience, que les enterrements, tout comme les mariages, sont propices aux rencontres sensibles.

Noam surveillait également l'arrivée de Raymond Verner. Il n'osait pas l'appeler son père. Viendrait-il avec Ginette, sa mère ? Avec Marcel et Marceline, ses frère et sœur ?

Il angoissait. Il n'avait pas revu les Verner depuis trois ans. Tout juste leur téléphonait-il parfois, histoire de les rassurer sur son sort. Une manière de les tenir éloignés. Mieux valait donner des nouvelles satisfaisantes et prétexter un travail de tous les instants plutôt que de les voir débarquer subitement rue des Rosiers.

Cette fois, la chose était sérieuse. Il n'était plus question de jouer les enfants de romanichels.

Raymond était bien son vrai père. Dans leurs veines, coulait le même sang juif.

C'était incroyablement déroutant.

Désormais, il lui faudrait apprendre à aimer ce père dont il s'était toujours démarqué. Il allait devoir s'expliquer et chercher en lui-même les causes de ce refus. Dure épreuve, en vérité.

Depuis qu'il vivait avec Charme, les choses ne s'étaient pas arrangées. En acceptant le rôle qu'elle lui proposait, il s'était mis à considérer les Verner comme une famille d'accueil où il était mystérieusement apparu. Rien, hormis une très vague ressemblance avec Raymond, ne le rattachait vraiment à ce père.

Du côté de la mère, ça allait encore : on remontait même jusqu'à la Révolution française.

Du côté du « père », le passé n'était guère bavard et les racines se perdaient sans doute avec celles des grands arbres, dans cet immense parc du cap d'Antibes qu'il entretenait consciencieusement pour le compte d'un milliardaire suisse.

Il était logé, payé, déclaré, estimé.

Jamais une remarque, jamais une rancœur.

Tout marchait comme il voulait : la tondeuse autoportée, l'arrosage automatique, l'augmentation annuelle, la retraite. C'était une existence écrite, une vie paisible. Pas un accroc, pas une surprise.

Cela faisait trente-cinq ans qu'il occupait cette place de gardien. En trente-cinq années de bons et loyaux services, il n'avait eu qu'une seule vraie contrariété : elle venait de son fils Noam, le petit dernier. Celui-ci n'arrêtait pas de se monter la tête. Il se prenait pour un autre. Il était dédaigneux, déplaisant. Toujours à critiquer et à se croire le nombril du monde.

On ne pouvait même pas le prendre dans ses bras. Même pas l'embrasser sans qu'il ne s'essuie aussitôt la joue d'un revers de main. On aurait dit que père et mère le dégoûtaient.

Raymond en avait souffert. Quant à Ginette, sa femme, elle s'était mise, peu à peu, à détester ce gamin qu'elle avait pourtant mis au monde.

Cette naissance à la clinique du Belvédère, cent fois racontée, ne suffisait pas à Noam. Il parlait d'erreur, de bébés échangés.

Un jour, Ginette en eut assez. Elle claqua la gueule du petit, une sacrée baffe, un aller et retour tout ce qu'il y avait de plus rapide.

Avec la gifle vint l'indifférence. Ginette n'était pas du genre à aimer sans recevoir quelque chose en échange.

Délaissé par sa mère, Noam tarabustait sans cesse Raymond. Il questionnait. Il voulait comprendre. Pourquoi Raymond n'avait-il ni père ni mère ? Autrement dit, pourquoi l'existence avait-elle privé Noam d'un grand-père et d'une grand-mère ?

Les « pourquoi » irritaient fort Raymond Verner.

Ne sachant rien de sa naissance, il trichait. Il donnait des versions différentes. Cela dépendait de son humeur. Parfois, il avait été recueilli par des gens simples, des ouvriers. Trop pauvres pour l'élever, frappés par la maladie, ils l'auraient confié à des bohémiens.

Il n'aimait pas ces gens. Il s'était échappé de leur roulotte.

D'autres fois, il avait été recueilli par des artistes, des musiciens généreux et fauchés.

C'était il y a longtemps, très longtemps. Il était en culottes courtes. On ne mangeait pas tous les jours à sa faim. Les artistes faisaient pourtant l'impossible. Ils étaient talentueux mais désorganisés. À la maison, c'était la vie de bohème. Une vie au jour le jour, avec des disputes, des crises, des violons au mont-de-piété.

Enfant, Noam confondait la vie de bohème avec la vie des bohémiens. Il ne comprenait pas vraiment. Comme il voulait en savoir un peu plus sur ces fameux bohémiens qui jouaient du violon au mont-de-piété, Raymond s'enfermait la tête dans une espèce de roulotte. Rien à faire. Il n'en disait pas davantage, à croire qu'il portait toujours des culottes courtes dans sa mémoire.

Restait le prénom. Sur ce sujet, Noam harcelait impitoyablement son père : pourquoi Noam ? Qu'est-ce que cela signifiait ? Était-ce le diminutif de Noémie ? Pourquoi Noam et pas Noé ? Pourquoi l'avoir baptisé d'un prénom que personne n'entendait complètement la première fois ? Pourquoi l'avoir affublé d'un nom qu'il lui fallait répéter jusqu'à l'irritation ? Pourquoi une telle disparité entre le choix de ce prénom et celui de ses frère et sœur ? Pourquoi l'avoir marqué, lui, et lui seulement, comme cela, d'une connotation biblique ?

Sur ce chapitre, Raymond n'avait qu'une seule réplique : « Écoute, je te l'ai déjà dit mille fois, mon maître d'école s'appelait Noam. Il était bon pour moi, très bon. Tout petit déjà, je me disais : le jour où j'aurai un fils, je l'appellerai Noam, comme mon instituteur ! »

Invariablement Noam rétorquait : « Voyons, tu as eu un fils avant moi et tu l'as appelé Marcel ! »

Et Raymond de répondre : « C'est pas moi, c'est ta mère. Elle ne voulait pas de Noam. Elle trouvait que cela faisait juif ! »

Noam n'avait pas encore six ans quand il demanda : « Et c'est quoi, un Juif ? »

— « Un Juif, répondit son père, c'est quelqu'un qui est différent de nous. »

— « Et pourquoi il est différent de nous ? »

— « Parce qu'il est juif et que nous ne le sommes pas ! »

Pas du tout satisfait, Noam avait demandé : « Ils sont différents de nous en mieux ou en mal ? »

Un peu gêné, le père avait répondu : « Pour la plupart des gens, ils sont pires que nous. Pour quelques-uns, ils nous valent. Pour certains, ils nous sont supérieurs ! »

Alors le petit avait dit : « J'aimerais bien être juif, moi. »

Raymond Verner s'était fâché. Il était devenu tout rouge et avait lâché : « Ne répète jamais une chose pareille. Ôte-toi ça de la cervelle, espèce d'imbécile ! »

Il avait ajouté en criant : « Personne n'est juif ici. On est tous de bons chrétiens. Et arrête de m'emmerder avec tes conneries ! »

Cravaté, vêtu de noir, Raymond Verner gara sa monospace dans un pré transformé en parking pour la circonstance.

Cheveux en broussaille, visage agréable, le « gent de maison », comme disent les petites annonces, ne faisait pas son âge. Il présentait plutôt bien.

Le regard soutenu, un peu fiévreux sous l'effet du trac, il s'avança, cœur battant, vers la propriété. Maintenant, c'était la sienne.

Il hésitait. Il paraissait dérouté. On crut un moment qu'il allait faire demi-tour et reprendre sa voiture.

Ce n'était pas facile. Tout était arrivé trop soudainement. Il n'était pas sûr de tenir le coup. Pas sûr de s'habituer à son nouveau personnage.

Il y avait eu ce coup de fil. Cette voix qui promettait des révélations.

Le bonhomme, un géant, l'avait convoqué au *Négresco*, un grand hôtel niçois.

Impressionnant, longue silhouette enveloppée d'un manteau molletonné, l'homme s'était avancé vers lui, la main tendue, avec un large sourire :

— Bonjour David, enchanté de vous connaître ! J'y ai mis le temps, mais cette fois, je vous tiens !

Raymond ne put s'empêcher de sourire. Il y avait malentendu. Ou alors le bonhomme était braque.

Il s'apprêtait à partir quand Abraham Seltzer, d'une voix sèche, le pria de s'asseoir :

— Restez calme et ne m'interrompez qu'à bon escient, car ce que j'ai à vous dire, pour énorme que vous paraisse la chose, va vous faire l'effet d'un électrochoc !

Raymond n'avait plus du tout envie de sourire. Au fond de lui-même, une voix lui disait que la chose était sans doute liée à l'énigme qu'il cherchait lui-même à résoudre depuis l'enfance.

Déjà, il sentait l'effet du courant. Ça fourmillait à fleur de peau. Ça vibrait dans sa tête...

Le géant ne s'embarrassa ni d'un début, ni d'une suite. Quand il s'agit de toute une vie à remettre à plat, pourquoi respecter la chronologie ? Mieux vaut commencer par la fin. Il dit :

— Cela va vous paraître incroyable mais, dernièrement, j'ai enterré votre frère jumeau.

Raymond Verner reçut le choc.

Incapable de réagir, collé à son siège, il écoutait le vieil homme poursuivre ses explications :

— Ce n'était qu'un petit squelette momifié d'à peine un an. Il reposait depuis juillet 1942 dans une soupente de la rue des Rosiers. En vérité, je pensais vous y trouver aussi. Vous avez eu plus de chance que votre frère Élie. Mais peut-on parler de chance quand vous avez été privé de vos origines et transbahuté d'un endroit à l'autre par tout un tas de gens qui ne savaient que faire de vous ? Les uns voulaient vous sauver, les autres vous éliminer. Finalement, on vous fait disparaître en vous attribuant d'autres noms, d'autres parents.

Il regarda Verner en hochant la tête de gauche à droite, comme pour rejeter les malheurs endurés jadis hors de leur portée actuelle, et ajouta :

— Vous vous appelez David Rosenweig. Votre mère, Sarah, et votre père, Chaïm, sont morts à Auschwitz en janvier 1943.

Raymond avait écouté le géant polonais sans broncher.

Terrassé, il était incapable de la moindre réaction. Il emmagasinait les mots, les phrases, sans vraiment comprendre ce qu'elles signifiaient. Certes, tout ce que l'on disait concernait Raymond Verner, sauf que cette fois, on s'adressait à un certain David Rosenweig.

C'était bien trop tôt pour tout comprendre. Bien trop brutal pour tout assimiler.

Et puis, brusquement, comme si le géant avait provoqué un court-circuit en abaissant les manettes de la machine à électrochocs, Raymond s'était senti partir.

Les yeux révulsés, il s'affaissa et tomba à la renverse, entraînant le fauteuil dans sa chute.

Ils s'étaient revus plusieurs jours de suite dans cet hôtel luxueux où Abraham Seltzer avait pris ses quartiers pour la circonstance.

Fidèle à Chaïm Rosenweig, le géant miraculé

respectait la parole donnée soixante ans plus tôt à Auschwitz.

Il avait froid. Il avait mal. Il était sur le point d'en finir avec l'existence. Néanmoins, il tenait bon. C'était sa dernière mission.

Séance après séance, Raymond Verner avait appris ce qu'il ignorait de sa vraie famille.

Terrible avait été le choc.

Le « gent de maison » ne comprenait pas ce qu'il lui arrivait. Gardien, jardinier exemplaire, il avait réglé sa vie en fonction de son emploi. Il ne s'était jamais vu un autre avenir et il s'en contentait.

Adolescent, il s'était souvent interrogé sur son passé. Il n'y avait personne pour le renseigner. Il se doutait bien que quelque chose clochait. On l'avait certainement embobiné à l'Assistance publique en lui faisant croire que ses parents avaient péri dans un naufrage. Il n'était même pas sûr d'être passé par l'Assistance. Il n'en avait aucun souvenir. Mais où allaient-ils, ses parents ? Et pourquoi ne l'avaient-ils pas emmené ? Tout cela ne tenait pas debout...

Il avait cherché à savoir. N'obtenant rien de précis sur ce prétendu naufrage, il s'était mis à imaginer d'autres histoires. C'était sûr, il portait en lui un lourd fardeau. Ça faisait mal dans les épaules.

Surtout ne rien dire, ne dévoiler ses pensées sous aucun prétexte.

Avec les années, il avait fini par se refermer sur lui-même, s'obligeant à vivre la vie comme elle venait.

Il était entré dans le rang, et il ne manifestait pas l'intention d'en sortir.

Il votait à droite. Il prônait l'ordre, la sécurité. Il était même pour la peine de mort. Il se méfiait des Arabes et n'appréciait guère les Juifs. Ça ne l'empêchait pas d'avoir la main sur le cœur, de donner pour les restos de Coluche et de faire des promesses au Téléthon. Il plaignait les Bosniaques et les Kosovars. Il prenait parti pour les Palestiniens parce que les Palestiniens sont privés de patrie, comme il avait été privé de famille.

Raymond Verner était accablé. La terre dérapait. Elle ne tournait plus autour du soleil. Elle restait dans l'ombre. Et l'éclipse n'en finissait pas.

Il venait d'avoir 61 ans. Et voici qu'un étranger lui parlait de ses parents juifs assassinés à Auschwitz.

Il n'y avait rien d'autre à faire que de se taire. Rien d'autre à faire que de se terrer dans son fauteuil et d'écouter l'étranger qui justifiait ses affirmations par des preuves irréfutables.

Noam laissa Charme devant la tombe d'Élie. Elle pleurait silencieusement. Ses larmes arrosaient la terre. Elles étaient bues sur-le-champ, à croire que le pauvre petit mourait encore de soif.

Non, il n'était pas mort de soif.

Depuis peu, elle savait.

Lucie, la locataire du rez-de-chaussée, qui faisait office de concierge, avait entendu hurler les jumeaux. Ils réclamaient leur biberon.

Déjà une semaine que les flics étaient venus chercher Rosa Zelasny. Quant à Perla, la sœur de Rosa, elle avait disparu depuis la veille.

N'y tenant plus, Lucie était montée.

Elle possédait un passe et ainsi put entrer.

Elle prépara des biberons de lait en poudre et fit téter les bébés.

La tétine, la boisson les calmèrent.

Pour des petits Juifs, elle les trouvait mignons. Dommage quand même de ne pas essayer de les sauver.

Lucie s'était rendue au troisième étage sans idée préconçue. Elle voulait juste atténuer cette faim qui tenaillait les nourrissons.

Mais Lucie n'était pas claire. C'était le genre mégère, l'esprit pipelette : toujours prête à rendre service à condition d'y trouver des compensations.

Noam se retourna sur Charme. Il ne la désirait plus vraiment. L'amour s'était transformé en amitié. Le désir en tendresse. Il l'admirait. Il lui était reconnaissant.

D'intuition en évidence, de pressentiment en présomption, elle avait exploré les arcanes de la rue des Rosiers et mis au grand jour les liens qui unissent à jamais les familles Verner et Rosenweig.

Inconsciemment, il le lui reprochait peut-être. Il

s'était passé tant de choses entre eux qu'il n'y avait plus assez d'espace, plus assez de mystère pour se voir comme au début...

Il avait besoin d'air, besoin de fraîcheur, besoin d'aimer sans être obligé de composer. Eva Klotzmann paraissait correspondre à son idéal du moment.

En sortant du cimetière, il jeta un dernier regard à Charme. Il en fut chagriné. La généreuse Galica-Superbia, sa rose préférée, commençait à s'étioler. Il n'avait pas le droit de la laisser dans cet état. Peut-être devrait-il l'inventer autrement, lui inséminer un autre pollen, lui insuffler une nouvelle énergie ?

Il essuya la terre qui collait à ses doigts, et se dirigea vers l'assistance.

Les gens transpiraient. Ils buvaient sec. Des cahors, des gaillac, des canettes de bière encombraient maintenant les tables de jardin où s'égaraient encore des sodas et des jus d'orange tièdes.

Raymond Verner aperçut Noam et lui adressa un sourire forcé. Il ne savait que penser, que dire. Devait-il aller franchement à sa rencontre et le prendre sans ses bras ? Devait-il rester sur sa réserve et laisser faire Noam ?

Tant d'événements s'étaient produits depuis son départ de la maison !

Aujourd'hui, fait du hasard et de la force des choses, Noam possédait les réponses qu'il cherchait depuis toujours. Qu'en était-il de son état d'esprit ? Accepterait-il enfin de le reconnaître pour père ou doutait-il encore ? Difficile à croire. Abraham Seltzer n'avait-il pas couché Raymond Verner sur son testament ? Et de quelle manière, s'il vous plaît !

Le jardiner du cap d'Antibes héritait de cette propriété du Tarn. Elle était désormais sienne. Il avait pour obligation de l'entretenir et de veiller sur les tombes. En particulier sur celle de son frère jumeau.

Raymond n'en revenait pas. On lui avait changé son fils. Il le trouvait beaucoup plus mûr, plus assuré. Le nombre des années y était sûrement pour quelque chose.

Ça n'était qu'une impression. En vérité, Noam n'avait jamais été aussi fébrile qu'en ce jour d'enterrement et de retrouvailles. L'émotion le tenaillait.

Tout arrivait d'un coup : un nouveau père, un nouvel amour, un éloge funèbre à préparer.

Raymond Verner ouvrit les bras et serra son fils contre lui. C'était venu comme cela, naturellement, sans réfléchir.

Noam se laissa faire. Il dépassait son père d'une tête. Son beau visage tourmenté reflétait l'émotion.

D'une voix un peu cassée, il dit :

— Je suis content de te voir, Papa, tu m'as beaucoup manqué.

— Toi aussi, tu m'as beaucoup manqué. Quelle histoire, mon petit ! Quelle aventure !

Il repoussa gentiment son fils, comme pour mieux le regarder, et dit :

— J'avoue que je suis sens dessus dessous, complètement chamboulé. Et tu ne connais pas la plus belle ?

Il attendit la réaction de Noam et poursuivit avec un drôle de sourire :

— Figure-toi que ta mère est allée voir un avocat. Elle parle sérieusement de divorce. Tu te rends compte, il paraît que je l'aurais trompée !

Comme Noam se montrait incrédule, Raymond Verner donna dans la dérision :

— Pas trompé avec une femme, non, ce n'est pas cela. Elle me reproche de l'avoir trompée sur mes origines. Elle vitupère. Elle dit qu'elle n'aurait jamais épousé un Juif ! Que c'est contraire à sa morale chrétienne.

Noam haussa les épaules :

— Tu me fais marcher, Papa ?

— Non, je t'assure, ta mère est raciste.

— Et toi, demanda Noam, est-ce que tu ne pensais pas un peu comme elle avant d'apprendre que tu étais juif ?

Raymond fit une grimace. Il chercha ses mots et dit :

— C'est malheureusement vrai. Mais tout de même, pas à ce point ! Ginette juive, je l'aurais épousée quand même.

Il baissa la voix et murmura :

— C'est dur, c'est très dur de changer de peau en cours de route. Il faut lutter contre ses anciens préjugés et les démonter un par un.

Noam prit son père par le cou. C'était un geste tendre, quelque chose d'inhabituel. Ça ne lui était jamais arrivé. Il dit :

— Ne sois pas trop soucieux, Papa. Nous sommes deux, maintenant. On fera l'apprentissage de la juiverie ensemble. Tu verras, je t'apprendrai des choses sur notre passé. Normal, j'ai commencé avant toi. Et avec Charme, j'ai eu le meilleur professeur du monde.

Noam embrassa son père sur le front et ajouta :

— Quant à ma mère, laisse-la tomber. Tu es jeune et je te verrais bien séduire quelqu'un d'autre.

Raymond écarta cette idée d'un geste de la main. Il dit :

— Jeune à 61 ans, ce n'est pas le mot juste. D'accord, je suis encore costaud et mon cerveau n'est pas trop atteint. De là à séduire une autre femme... Ça ne me paraît pas à l'ordre du jour.

— C'est pourtant ce que tu aurais de mieux à faire. Tu sais, l'apprentissage amoureux, ça existe aussi.

Noam ne croyait pas si bien dire. Il fut lui-même saisi d'un étrange frisson quand il aperçut le fourgon gris acier des pompes funèbres franchir la grille de la propriété.

Derrière les vitres noires, il devinait la gracieuse silhouette d'Eva Klotzmann.

Habillée d'une longue robe sombre en soie sauvage, coiffée d'une capeline de même couleur, Eva n'avait pas vraiment le visage de circonstance. Elle paraissait hors du temps, hors du coup. Elle souriait. Elle saluait les gens.

Eva, c'était une fille de magazine, une de ces créatures que l'on voit dans les publications de mode et les défilés de haute couture. Eva, c'était la légèreté, le sourire, un bonheur de vivre un peu trop affiché pour être tout à fait authentique.

Eva, c'était le contraire de Charme. L'une donnait dans la gravité et la rigueur. L'autre prenait la vie comme elle venait. La mort du père s'inscrivait dans une sorte de logique zen. Ça n'empêchait pas le chagrin. Ça n'empêchait pas non plus les étoiles de continuer à briller.

Une fois rendus les hommages, on plaça l'urne dans une petite crypte récemment creusée à l'entrée du cimetière.

Le géant n'était plus que poussière, mais chacun — les proches, les voisins, les simples connaissances — repartait la poitrine lourde.

Le temps orageux, la chaleur moite n'étaient pas les seuls à poisser les cœurs. Abraham Seltzer laissait son empreinte. Difficile d'oublier un bonhomme de cette envergure. Il pesait sur la conscience. On n'avait pas seulement enterré Abraham Seltzer, on avait enfoui, avec lui, tout un chapitre de l'histoire du monde, qu'aucune dalle, qu'aucun scellement, même le plus solide, ne pourraient empêcher de revenir nous hanter.

Quand les dernières personnes furent parties, Raymond Verner referma la lourde grille. Elle couinait sur ses gonds. Il se dit qu'il faudrait les graisser.

Fermer, ouvrir, entretenir, il avait fait cela toute sa vie. C'était un employé modèle, un « gent de maison » comme on n'en trouve plus. Il ne comptait ni ses heures, ni sa peine.

Cette fois, il était chez lui. Il avait abandonné le milliardaire suisse. Il lui trouverait bien un remplaçant. Quant à sa femme, la Ginette, une créature simple, pour ne pas dire un peu simplette, elle l'avait plaqué : « Pas de Juif à la maison ! » qu'elle lui avait lancé en pleine figure.

Le pire, c'est qu'il n'était pas si loin de penser comme elle. Il n'éprouvait guère de sympathie pour les Juifs. Il leur reprochait d'occuper des postes importants dans l'administration, dans l'industrie et dans les médias. À la télévision, par exemple, on ne voyait qu'eux.

Raymond ne portait ni les Israélites, ni les Israéliens dans son cœur. Évidemment, ça l'ennuyait. Il devait revoir ses sentiments. Jusqu'alors, il trouvait les premiers trop près de leurs sous, les seconds trop près de leurs terres.

Autant dire que Raymond Verner était déchiré entre son passé plutôt antisémite et son présent qui l'incitait, malgré tout, à s'accommoder du judaïsme dont il était l'un des fils, et l'un des martyrs.

Raymond referma la lourde grille. Il ne restait plus que les intimes.

Noam conversait avec Eva sous les grands arbres. Ils avaient l'air de se plaire. La tristesse, l'atmosphère s'y prêtaient.

Raymond hésita. Devait-il déranger son fils ? Il souhaitait visiter la propriété en sa compagnie. Il venait d'en hériter. Ça l'intriguait. Le défunt avait-il fait fructifier les biens des Rosenweig ? Et quel genre de biens ?

On disait qu'il avait acheté cette propriété en prenant sur l'argent des morts vivants dont il avait été le confident. Mais pourquoi lui en faire don ? Peut-être parce qu'il était l'unique survivant parmi tous les êtres dont il avait eu à s'occuper.

Raymond se demandait s'il ne s'agissait pas d'un cadeau empoisonné. Maintenant, il était lié à cette maison jusqu'au restant de ses jours. Lui donnerait-on seulement de quoi subvenir aux frais ? Sa maigre retraite n'y suffisait pas.

Il n'avait pas encore lu le testament. Il verrait cela avec le clerc.

Par où commencer ? Tout paraissait immense. Tout respirait le secret.

Raymond jeta un regard inquiet vers son fils. Noam n'avait d'yeux que pour Eva. Elle lui faisait penser à la Centifolia-Muscosa, une rose d'innocence au bouton saumoné, nuancé d'abricot pâle et de soie laiteuse. D'elle, il émanait un parfum jeune et vif, quelque chose de suave et d'acidulé. Juste ce qu'il fallait pour aiguiser les sens et distiller ingénument le poison qui s'en dégageait secrètement.

Raymond les regardait. Il les trouvait beaux.

Assis l'un près de l'autre sous la tonnelle, baignés d'un soleil couchant, ils faisaient carte postale.

Raymond se détourna de l'image idyllique. Tant pis, il irait à la découverte des lieux sans son fils.

Il aperçut Charme, souple silhouette noire, qui allait et venait d'un pas lent dans le petit cimetière auréolé d'une lumière pourpre. Il lui fit un signe de loin. Elle y répondit.

Il aimait bien cette femme. C'était sa presque belle-fille, sa bru comme on disait autrefois. Elle l'impressionnait, elle l'intriguait.

Il ne lui avait parlé qu'une petite demi-heure, mais en une demi-heure, il s'était passé tant de choses qu'il ne s'en était pas encore remis.

Elle lui avait dit :

— Vous savez, Raymond, d'ici à quelques jours je serai en mesure d'éclairer tout un pan de votre existence. Il s'agit des années obscures dont vous n'avez pas la mémoire. Elles vont de 1942 à 1946. Après, bien sûr, vous vous souvenez. Vous savez où vous êtes, mais vous ne savez pas qui vous êtes. Abraham ne vous a pas tout dit.

Raymond avait écouté sans broncher.

Noam lui avait dit qu'elle était historienne. Bizarre, elle parlait comme une voyante.

Le jugeant incrédule, la voyante avait poursuivi :

— Peu avant sa mort, Abraham Seltzer m'a fait venir dans cette propriété. Il était déjà très malade, à bout de forces. Ça ne l'a pas empêché de me révéler tout ce qu'il avait appris sur vous de différentes sources. Ensemble, nous avons recoupé les témoignages, vérifié les faits en fonction de l'époque et des événements.

Il avait murmuré :

— Ça doit être triste !

— Oui, en effet, c'est triste.

Avec un beau sourire, elle lui avait avoué :

— En réalité, Raymond, et pour être exactement dans la ligne, dans le fil de l'histoire, c'est vous que je devrais aimer...

Étrange, ça ne l'avait pas choqué. Il lui avait rendu son sourire, et il s'était mis à calculer la différence d'âge. Elle avait 36 ans, lui, 61.

Une voix lui disait que c'était énorme. Une autre voix s'en moquait et le provoquait : « Voyons, Raymond, vingt-cinq ans de plus, c'est rien du tout ! »

Au même moment, Charme faisait la même opération. Ça ne lui semblait pas impossible. C'était beaucoup moins qu'entre Abraham Seltzer et Milena Klotzmann.

Raymond se sentait flatté. En soixante et un ans, on ne s'était guère occupé de lui. Bien sûr, il y avait la famille : la femme, les enfants. Ça aidait à tenir le coup. Il y avait surtout Noam avec ses drôles de questions qui frisaient l'obsession.

Maintenant, il remerciait Noam d'avoir su éveiller le sourd-muet qui sommeillait alors en lui.

Grâce aux interrogations de ce fils qui ne le reconnaissait pas comme père, Raymond s'était mis à fureter en lui et autour de lui. Sûr, il était l'enfant du mystère. Hélas ! il ne détenait pas la clef. Et quand bien même ! La serrure était si vieille et si rouillée qu'il n'aurait sans doute pas réussi à l'ouvrir. Il avait juste regardé par le trou. Il avait vu des orphelins plein les chemins. Des avions, des chevaux, toute une foule affolée avec des baluchons... C'était l'exode. Il avait perdu ses parents sur la route. Il hurlait dans son landau. Personne ne l'entendait.

Raymond n'était même pas certain de son âge. L'exode, c'était en 40, pas en 42. On aurait donc triché pour l'adopter. Mais pourquoi ?

Il avait tout imaginé. Comme son fils Noam, il s'était inventé une famille. Oh, c'étaient des gens simples : un père voyageur de commerce, une mère repasseuse. Ils avaient été fauchés par les balles d'un stuka. Lui, il avait continué à hurler. À la fin, quelqu'un l'avait entendu pleurer.

Le landau était percé d'une balle. Le bébé s'agitait, indemne.

Il n'avait jamais parlé de ses doutes à Noam. Tous deux partageaient pourtant la même angoisse, sauf que Noam fantasmait dans d'autres sphères. Il voyait plus haut, plus classe. Il s'aveuglait. Tourmenté par le mystère diffus qui entourait la naissance de son père, et que tous se gardaient bien d'évoquer, Noam reportait le malaise familial sur sa propre naissance.

Il avait tort. Raymond et Ginette étaient ses vrais parents.

Tiraillé, bousculé par Noam, Raymond était entré dans son jeu. Il butait sur ses origines, il avait laissé entendre à son fils qu'il y avait peut-être eu des bohémiens sur son chemin. Des bohémiens ou des gens de cirque, des artistes, des musiciens, des jongleurs, des prestidigitateurs. Cela avait emballé le petit.

Dire la vérité n'était guère possible. Verner ne la connaissait pas. Vers les 3 ou 4 ans, il avait vraisemblablement été adopté par des paysans.

Plus tard, Raymond s'était raccroché à sa famille du bord de route. C'étaient des parents heureux et attentifs. Ils aimaient leur enfant. Ça se lisait dans les sourires, dans les regards.

Et puis, il y avait eu l'exode, l'affolement, le mitraillage du stuka.

Après le passage de l'avion, on compta davantage de morts que de vivants, beaucoup de mères décimées, beaucoup d'enfants affolés.

Dans le fossé, un landau renversé. Dans le landau, un bébé qui pleurait. Qui était donc ce bébé ? Quelle était donc cette famille supposée dont l'histoire n'avait pas encore retenu le nom ?

Enfant, on peut se croire fils de prince ou de bohémien, fils d'ouvrier et de repasseuse. On ne peut en revanche affabuler sur des parents juifs. Être juif, ça ne s'invente pas. Ça se vit.

À présent, Raymond comprenait. Il s'était fourvoyé dans ses délires : la route n'était qu'une voie ferrée. Le stuka, c'était la chambre à gaz. Le landau, c'était une cachette dans la soupente d'un appartement de la rue des Rosiers.

Raymond rejoignit Charme au cimetière. Elle l'y attendait.

Quand il fut à sa hauteur, elle le prit par la main et dit :

— Je vais te montrer la tombe de ton frère.

Le sourire, la séduction accompagnaient le tutoiement.

Tout d'abord étonné, Raymond n'eut pas le cran de réagir. Il se laissa conduire.

Parvenu devant la stèle d'une austérité absolue — ni fleurs ni couronnes pour égayer un tant soit peu le lieu — Charme s'adressa à la dépouille qui reposait sous terre :

— Élie, je te présente ton frère, David. Je ne

dirais pas qu'il a eu plus de chance que toi, parce qu'il n'a pas été gâté par la vie. Je dirais qu'il est le miracle du hasard. Lui, on l'a sauvé. Toi, on est venu te chercher, mais peu de temps après, on t'a remis sous le toit. On avait peut-être l'intention de te secourir. Cela s'est mal passé. On avait surtout envie de se débarrasser de toi contre une grosse somme d'argent.

— Assez ! murmura le frère d'Élie. Ne me torturez pas davantage...

Elle prit sa main et le rassura :

— Tu ne sais pas le bien que tu me fais, Raymond !

Elle hésita un instant et risqua :

— J'ai envie de t'appeler David ! Qu'en penses-tu, ça serait peut-être mieux ?

— Il faudra bien que je m'y habitue, répondit Raymond. Alors oui, pourquoi pas, appelez-moi David.

Enhardi par cette main de femme qui s'était glissée dans la sienne, il entrecroisa ses doigts et serra. C'était comme une étreinte.

Quand les paumes furent en contact, troublée, elle se reprit et dit :

— Où en étais-je ?

— Vous me disiez que je vous faisais du bien.

— J'anticipais, dit-elle avec un brin d'humour.

Elle le regarda tout à coup sérieusement et composa :

— Si je te tutoie, il me semble que tu devrais en faire autant !

— Je vais essayer, répondit Raymond, épaté par le plaisir charnel que sa main procurait. Elle semblait égoïstement profiter de l'instant. Elle agissait d'elle-même, indépendamment de sa volonté.

Charme répéta :

— Où en étais-je de mes présentations ?

Elle retrouva le fil de sa pensée au même moment :

— Ah oui, je disais, grâce à toi, maintenant que je te vois, je peux mettre un visage sur ce petit squelette que l'on a retrouvé chez moi. Et ce visage me fait du bien, il est apaisant.

Elle pressa à son tour sa main et dit :

— Quand j'avais 3 ou 4 ans, Louis, mon père, parlait de vous en vous appelant « les jumeaux ». On ne savait pas si vous étiez morts ou vivants, déportés ou épargnés. Nous savions par Abraham Seltzer que vous n'aviez pas été arrêtés le jour de la grande rafle. Bien sûr, il y a eu d'autres rafles et d'autres jours. Et moi, déjà, à cet âge, j'essayais de mettre un visage sur ces fameux jumeaux qui nous intriguaient tant. Un visage identique, puisque les jumeaux étaient des vrais jumeaux.

Plus tard encore, au fil des années, je passais mon temps à vous imaginer sans vraiment parvenir à vous voir clairement. C'est que vous étiez tantôt au ciel, tantôt sur terre, tantôt présents et obsédants, tantôt absents et silencieux. En réalité, vous étiez toujours avec nous. On vivait ensemble. Vous ne nous lâchiez pas d'un pouce car vous étiez la mauvaise conscience de la famille. Nous habitions votre appartement depuis cette terrible rafle de juillet 1942. Et puis, un jour, vers mes 18 ans, je vous ai entendus parler. C'est vrai, j'écoutais vos voix l'oreille collée aux murs. Et les murs ne se privaient pas de m'effrayer. Ils pleuraient, ils geignaient. Il n'y avait pas que les murs. Les poutres couinaient, le parquet craquait, les fenêtres claquaient.

Raymond laissait dire. À lui aussi, ça lui faisait du bien. Il voyait son jumeau pour la première fois. Ou plutôt, il le devinait. Soixante ans étaient passés depuis qu'on les avait planqués tous les deux dans la soupente de Rosa Zelasny, la voisine des Rosenweig.

Les deux appartements n'étaient séparés que par un étroit palier. Les Rosenweig confiaient très souvent les petits à Rosa.

Le jour de la rafle, ils étaient chez elle.

Les flics n'avaient même pas frappé à sa porte. Normal, Rosa n'était pas juive.

Dès le lendemain, Rosa s'était procuré des outils et des planches. Sait-on jamais ? La police était capable de revenir. Il suffisait d'une indiscrétion, d'une dénonciation.

En catimini, le marteau enveloppé de chiffons, elle avait aménagé une cache dans sa soupente. C'était un petit nid douillet, bien ouaté, avec sa trappe capitonnée qui étouffait les pleurs.

Les craintes de Rosa étaient fondées. Au bout d'une semaine, on vint l'arrêter.

Il était 5 heures du matin. L'aube pointait à peine à travers les rideaux de dentelle quand elle entendit des coups contre sa porte :

— Police, ouvrez !

Rosa sauta du lit et ouvrit aux policiers. Un gradé lui lança :

— On vous embarque, ma petite dame, n'opposez pas de résistance !

Rosa pensa aux jumeaux qui dormaient dans la soupente. Mieux valait suivre les flics au plus vite, avant que les enfants ne se réveillent.

Elle enfila un imperméable sur sa chemise de nuit et ferma sa porte. Une fois sur le palier, elle dit :

— Vous m'arrêtez, mais je ne suis pas juive.

Le gradé poussa Rosa devant lui et grommela :

— C'est ça, ma petite dame, vous dites tous la même chose.

— Je ne mens pas, s'écria Rosa dans l'escalier. Je suis d'origine lettonne, renseignez-vous, il y a beaucoup de chrétiens à Riga.

Le gradé haussa les épaules et ne répondit pas.

Apercevant Lucie, la locataire du rez-de-chaussée, qui épiait ces messieurs de la police, Rosa lui lança :

— Prévenez ma sœur. Dites-lui que l'on m'embarque !

Lucie fourragea dans ses bigoudis et proposa d'un air faux-jeton :

— Voulez-vous que je monte ranger l'appartement ? Avez-vous seulement fermé le gaz ?

Rosa se méfia. Elle insista :

— Je vous en prie, Lucie, appelez ma sœur.

— Et qu'est-ce que je lui dis d'autre à Perla ?

— Ne vous en faites pas, elle comprendra !

Charme ne réalisait pas très bien. Elle était la proie d'une force aussi imprévisible qu'irrésistible. C'était arrivé d'un coup, avec violence. En un rien de temps, les sentiments amoureux qu'elle croyait encore partager avec Noam avaient été soufflés. Ce fut comme si un ouragan s'était engouffré en elle pour faire place nette. La tempête avait tout nettoyé. L'amertume, les doutes, les scories avaient été emportés vers la pleine mer.

Charme s'était retrouvée lisse et nue comme une plage balayée par les rafales de vent.

Noam avait été déblayé, comme tout le reste, et jeté vers quelque grève lointaine.

Certes, Charme lui reconnaissait des qualités, du talent, et même un vrai génie quand l'obtenteur se donnait aux roses âme et corps.

Juste revanche, il l'avait délaissée, humiliée, peut-être même sacrifiée pour vivre pleinement sa passion.

Elle se savait fragile, dérangée. Les jumeaux n'y étaient pas que pour un peu. Ils y étaient pour tout. La vie de Charme avait été entièrement modelée par la leur. L'incroyable, c'est que l'on n'avait jamais rien su de cette existence. Ils avaient pourtant influencé Charme plus que quiconque. Plus que les parents, plus que la religion, plus que la lecture.

Les deux petits disparus la dévoraient. Ils étaient ange pieuvre et mante religieuse. Ils exigeaient l'attention. Ils accusaient, ils récusaient, ils culpabilisaient. Leur présence était à la fois discrète et envahissante. Ils se contentaient, de-ci de-là, d'émettre des signaux.

Soixante ans après leur disparition, les jumeaux avaient envoyé leur messager rue des Rosiers, en la personne de Noam. C'était un signe majeur.

Noam ne se doutait de rien. De bonne foi, il était tombé dans la toile d'araignée tissée par Charme. Elle croyait en l'instinct, en l'intuition.

Elle reporta sur Noam les délires accumulés depuis l'enfance. Il se substitua aux jumeaux. Il devint prince charmant, amant et associé. Il combattit les jeteurs de sort. Il libéra l'appartement de ses fantômes et le rendit supportable. Enfin, avec elle, il s'attaqua au gotha des roses et créa des splendeurs en s'inspirant des horreurs et des crimes commis rue des Rosiers par une inquisition antijuive pratiquement constante.

Raymond se demandait quel était exactement le rôle que Charme lui taillait sur mesure. Pouvait-il être l'homme de sa vie après avoir été le fantôme de son enfance ? Ou n'était-il qu'un faire-valoir ? Oserait-elle défier le fils en montrant son intérêt pour le père ?

Raymond doutait des sentiments de Charme, tout comme il doutait de l'attitude de son fils. C'était trop voyant. Trop brutal. Noam et Eva flirtaient sans retenue. Il y avait là quelque chose de pas très clair. Peut-être était-ce spontané ? Mais alors pourquoi trouvait-il cette façon de faire si choquante ?

Raymond aimait les choses nettes, bien taillées, bien propres. Il ne tenait pas à faire le contrepoids entre elle et son propre fils.

Il cherchait à comprendre ce que Charme pouvait bien lui trouver. Il se perdait en conjectures sur cette soudaine flambée de tendresse qui agitait la jeune femme. Tenait-elle vraiment à lui ou n'était-ce qu'une lubie ? Il craignait que ce ne soit qu'un jeu. En même temps, il redoutait quelque chose de sérieux. Il n'y croyait pas. Que pouvait-il offrir en échange à cette femme si belle et si cultivée ? Il était loin d'avoir le charme de son fils. Il y avait toutes ces années en plus. Il y avait surtout bien des attraits en moins. Le corps était lourd, les hanches empâtées, le torse un peu trop large pour son mètre soixante-douze. Ça lui donnait un côté lutteur, une allure d'haltérophile.

Heureusement, la régularité du visage rattrapait les défauts de mensuration et de poids. Sous les cheveux broussailleux et grisonnants, les yeux brillaient, tout comme ceux de Noam, d'une sorte de fièvre. On lisait une inquiétude dans le regard au repos.

À l'écoute, l'œil se transformait selon le ton des propos. C'était un regard lourd, chargé de doute et d'appréhension.

Quant au nez, de face, il était sans histoire. De profil, il laissait voir une belle courbure. Le sourire étirait légèrement les lèvres minces. Le rire, plus rare, montrait des gencives roses et donnait un air carnassier à la bouche.

En détaillant Raymond, on retrouvait assez bien Noam. Une superposition des deux physionomies donnerait sans doute une idée du visage de Chaïm Rosenweig.

Raymond quitta la tombe de son frère. Un frère dont il ignorerait encore l'existence si Abraham Seltzer ne l'avait affranchi dans cette chambre de l'hôtel *Négresco*.

Il revivait douloureusement cette vérité. Peut-on encore parler d'existence quand on a été réduit en momie parcheminée moins d'un an après sa naissance ?

Il suivait Charme. Il marchait tristement. On le sentait indécis. Désormais, il devrait faire front. Tenir bon face à elle, s'expliquer, d'homme à homme, avec son fils. Ça le tracassait. C'était même son souci de l'instant. Pouvait-il sortir avec la compagne de son fils ? Il disait sortir mais il pensait « coucher ». Il disait compagne, mais il pensait « maîtresse ».

En allant vers la maison, il se remémorait les compliments de Noam : *« Voyons Papa, tu es jeune et beau, je te verrais bien séduire quelqu'un d'autre. Tu sais, l'apprentissage amoureux, ça existe aussi. »*

Au compliment de Noam, il ajoutait la réflexion stupéfiante de Charme : *« En réalité, Raymond, et pour être exactement dans la ligne, dans le fil de l'histoire, c'est vous que je devrais aimer... »*

Chapitre III

Il y avait eu des explications, des mises au point et même des mises en condition.

Chacun s'était exprimé selon ses convictions et sa quête. Et tous étaient tombés d'accord pour se séparer, pour s'accorder. C'est que les jumeaux — et notamment David, qui valait les deux à lui seul — libéraient Charme et Noam d'un poids énorme. Dès lors, le travail qu'ils avaient entrepris en commun n'exigeait plus qu'on s'y consacre avec autant de ferveur et d'opiniâtreté. Les victimes du nazisme pouvaient attendre encore un peu leur couronne de roses sans se retourner dans leur tombe. Quelles tombes ? Quels squelettes ? Tout n'était que cendre éparpillée autour des camps. Elle fertilisait encore les choux, les betteraves, le houblon.

Il n'y aurait que l'âme des suppliciés pour se plaindre d'une livraison de roses retardée. On ne savait ce qu'en pensait l'esprit d'Abraham Seltzer. Lui, poignée de poussière grise, reposait dans son urne de malachite. La malachite, il y tenait. Allons donc savoir pourquoi !

Cela faisait trois mois que Charme et David partageaient tout par moitié : les travaux ménagers comme les travaux amoureux, la vie à deux, et même à trois, car Charme devait tenir compte de ce Raymond qui sommeillait en David. Et ce n'était pas un mince problème.

En apparence, ils vivaient harmonieusement. En profondeur, ils cherchaient encore leur équilibre.

David s'impatientait. Il pensait évoluer plus rapidement. Il faut dire que Charme ne lui livrait que des bribes d'informations. Elle délivrait avec parcimonie les portions de vie antérieure. On aurait dit qu'elle cherchait à le retenir le plus longtemps possible auprès d'elle.

Ces séances du souvenir étaient peuplées de silences. On devait juguler l'émotion, ou bien, au contraire, la laisser venir.

Consoler prenait du temps.

Une heure de récit pendant trois mois et trois jours, ça ne faisait jamais que quatre-vingt-treize heures de narration. C'était peu en regard de ce qu'il restait à couvrir, de 1942 à 1946.

Eva et Noam étaient venus plusieurs fois à Carjac. Lui, pour embrasser son père et le rassurer. Elle, par devoir de mémoire. Elle avait beau être zen et prendre des cours de danse du ventre à Clichy, Eva ne parvenait pas à faire le deuil.

Les deux jeunes gens s'étaient installés au 2, rue des Rosiers, dans l'appartement de Noam. Celui-ci avait fait une demande auprès de l'état civil. Il espérait reprendre un jour son vrai nom.

Son père avait fait de même.

— Pas facile à porter, disait Noam, mais difficile d'oublier Verner.

— Pas facile à supporter, répliquait David, mais ça viendra.

Cet aveu convenait davantage à Raymond qu'à David. D'ailleurs, entre les deux, c'était toujours un peu « mon cœur balance ». Raymond avait encore beaucoup à faire et beaucoup à apprendre pour être en osmose avec son double.

Charme entreprenait là un travail qui la passionnait. Elle avait trouvé en David Rosenweig, alias Raymond Verner, un modèle unique en son genre. C'était à elle maintenant de lui façonner une personnalité plus conforme à ses origines et sa condition. Elle procédait par touches, au fleuret des mots, en prenant garde de ne pas sabrer trop fort.

L'intimité faisait le reste. Le contact, la peau, les sens aidaient à la métamorphose.

David, c'était son jumeau d'enfance, la poupée contre laquelle elle s'endormait quand les murmures se faisaient trop angoissants.

Le jumeau qu'elle avait cru au ciel, quelque part dans une étoile, était maintenant dans ses bras. C'était doux et beau. Meilleur qu'avec Noam.

Charme s'en défendait. Ça l'ennuyait de comparer les mérites, de soupeser les bien-être. Ça ne l'empêchait pas d'avoir sa préférence...

Noam se sentait largué et il s'en réjouissait. Qu'à cela ne tienne, Charme restait dans la famille.

Il trouvait en Eva ce que Charme n'avait pu lui donner : la fantaisie, l'imprévu, l'humour. Avec elle, il s'amusait, il se retrouvait, il se dispersait.

La serre souffrait. Les roses jalousaient Eva.

Les amoureux ne venaient à Provins que le week-end. Ils allaient en boîte et y restaient jusqu'au petit matin. Danser les transportait au-delà d'eux-mêmes, dans un univers de décibels et d'extase physique.

Ils dansaient aussi avec le plaisir. Ils le prenaient sur place, quelquefois avec délice, d'autres fois avec bestialité.

Ils rentraient rarement seuls. C'était au choix : tantôt une fille, tantôt un couple.

Que cherchait donc Noam ? Peut-être rien d'autre que de se perdre. Se désorienter pour mieux se repérer.

Plus probablement, il faisait un retour en lui-même. Charme en avait fait quelqu'un de sérieux. Auprès d'elle, il donnait dans la gravité.

Maintenant, il revenait à ses préférences. C'était un garçon sensuel, un tombeur, toujours à draguer, toujours à vouloir posséder. Il aimait inventer les plaisirs et mélanger les genres, comme il le faisait avec ses rosiers.

Avant Charme, il y avait eu la belle Laetitia Roux, délaissée par un mari vénal. Les deux exploitaient Noam : lui, en s'attribuant les inventions géniales de son apprenti ; elle, en le fourrant dans son lit dès que le mari s'absentait. Plus encore, Laetitia, fière des prouesses de son amant, le recommandait à ses meilleures amies. Elle le prêtait. Elle participait. Elle organisait de chaudes soirées au cours desquelles Noam se plaisait à bouturer et à hybrider...

Au 2, rue des Rosiers, on avait changé d'époque et d'esprit. Fini les murs qui parlent, les poutres qui craquent. On en avait terminé avec l'angoisse, avec le doute. On n'y attendait plus personne. Tout était rentré dans l'ordre. On avait jeté les morts par la fenêtre : d'abord Élie. Et puis Milena, la mère d'Eva, qui s'était suicidée aux barbituriques. On avait même balancé sur le trottoir d'en bas Mina, la pianiste d'Auschwitz, et les époux Rosenweig.

Curieusement, on avait épargné le géant.

Une fois les fantômes défenestrés, Eva et Noam avaient entrepris la rénovation de l'appartement. Ils avaient démonté la soupente et agrandi les fenêtres qui donnent sur la cour. Ils avaient peint les murs d'un blanc cassé, laqué les portes d'un rouge amarante aux reflets d'acajou. Ils avaient recouvert le plancher, fissuré en maints endroits, d'une épaisse moquette gris souris. Des rideaux pur lin, couleur saumonnée, préservaient l'intimité du couple.

Au mobilier désuet d'avant-guerre, ils avaient préféré les éléments résolument futuristes d'un designer italien. Ça faisait gai, ça faisait classe.

Ce nouveau décor influencera-t-il leur style de

vie ? Il est trop tôt pour le savoir. Mieux vaut laisser les jeunes gens en paix, quand bien même devrions-nous les retrouver en guerre dans quelque temps.

À Carjac, on était loin de Paris. Personne n'avait jeté les morts par les fenêtres. Bien au contraire, les morts faisaient partie de l'environnement. On avait besoin d'eux comme on avait besoin de la barbarie allemande pour faire évoluer l'état d'esprit et mettre l'esprit dans tous ses états.

Patiemment, Charme apprenait à Raymond Verner ce qu'avait été l'itinéraire du bébé David Rosenweig, ballotté entre les bons et les méchants.

À cette pitoyable aventure, l'historienne mêlait le calvaire des Juifs du Marais à travers les siècles : vexations, injures, humiliations, mises en croix, lacérations, bûchers, procès en sorcellerie, la rue des Rosiers regorgeait de ces catastrophes, provoquées par l'Église comme par les rois. Un mot, une rumeur suffisaient. La populace accourait en criant : « Mort aux Juifs ! Mort aux Juifs ! » Elle joignait les mots aux gestes et se déchaînait sur les innocents.

Bouc émissaire, les Juifs payaient de leur vie la trahison du Christ, dont ils n'étaient pourtant pas responsables.

Tout était bon pour tuer du Juif : vilains relents bibliques, calomnies millénaires, médisances grossières. Qu'un enfant chrétien tarde à rentrer chez lui, aussitôt la mère se précipite dans la rue et s'écrie : « Les Juifs ont tué mon fils, ils ont pétri de son sang leur pain azyme. »

Il n'en fallait pas davantage. Les maisons juives étaient inspectées. Le coupable désigné et décapité. Sa famille mise au bûcher. Qu'importe que l'enfant présumé assassiné soit de retour à la maison ! On se gardait bien d'avertir les bourreaux.

Il y avait mille tragédies de ce genre dans le livre de Charme.

De toutes ces horreurs, de toutes les injustices répertoriées par Charme, l'une intéressait particulièrement Raymond. Elle concernait le procès du Talmud, un événement de grande ampleur, car la royauté, en la personne de Blanche de Castille, s'en prenait au judaïsme à travers son livre saint.

Si la singularité du procès échappait encore à Raymond, le nom du procureur, un certain Nicolas Donin, semblait rappeler à David quelque péripétie malheureuse.

Il cherchait, il se triturait la tête.

Charme l'écoutait. Ce Donin, c'était peut-être le maillon qui manquait à la chaîne. Il y avait eu Nicolas Donin, bien sûr, mais en 1942, soit sept siècles après Nicolas, une certaine Anne-Marie Donin de Clavière avait recueilli des enfants juifs dans sa bastide du Fortin.

Pressée par David, Charme lui résuma les accusations et les plaidoiries du procès, au centre desquelles se trouvaient le diabolique Donin et le fameux Rabi Yéhiel.

Ce Nicolas Donin était-il un Juif de Bordeaux converti au christianisme, un renégat illuminé, un chien enragé ?

Comment, et par quelle étrange protection, ce bâtard de religion, ce pur Juif de naissance et d'éducation, parvint à séduire le clergé jusqu'à se faire introniser frère dominicain et nommer supérieur du monastère de La Rochelle ?

Malgré d'importantes recherches, aucun document concernant le « traître » n'attestait ses origines juives. On ne connaissait ni son prénom, ni son nom hébraïque, à croire qu'ils avaient été effacés à jamais au moment de sa conversion.

Ne fallait-il pas inverser les données connues à ce jour ? Plutôt que de montrer Donin en Juif renégat, accédant mystérieusement au plus haut grade de l'ordre des Frères prêcheurs, pourquoi ne pas faire de Donin un chrétien zélé et roublard, habité d'une haine viscérale à l'encontre du peuple juif ? Un Donin, frère dominicain, ayant pour mission d'infiltrer les plus hautes instances religieuses et philosophiques du judaïsme pour mieux les combattre ?

Convaincu de l'effet pervers du Talmud sur la société chrétienne, Donin aurait donc pénétré le milieu juif de Paris en se faisant passer pour l'un des membres éminents de la communauté de Bordeaux.

Là encore, si l'on s'en réfère aux plaidoiries du

procès qui s'est déroulé à Paris les 25, 26 et 27 juin 1240, il n'est pas fait mention une fois du nom juif de l'imposteur. Il n'est question que d'un Donin, prénommé Nicolas. Et c'est ce Donin, frère dominicain, nommé pour l'occasion procureur, qui accusait le Talmud de tous les maux, à commencer par les meurtres rituels d'enfants chrétiens.

Charme n'en démordait pas. Pour elle, Donin était un espion commandité par l'Église, ce qui expliquait d'étranges lacunes dans les archives épiscopales.

David suivait Donin à travers le récit et la description qu'en donnait Charme. Au passage, elle insistait sur Nicolas Donin, ennemi juré des Juifs, et Anne-Marie Donin de Clavière, protectrice d'orphelins juifs en sa bastide du Fortin.

Le Fortin ! Ça rappelait quelque chose à Raymond. C'était flou, lointain, tout au bout d'un très long tunnel. Sept cent soixante et un ans s'étaient écoulés entre ces deux Donin. Le mystère commençait seulement à lever un coin du voile derrière lequel il se masquait.

En 1239, le dominicain se rendit à Rome et demanda audience au pape Grégoire IX. Reçu par le souverain pontife, Donin dressa un tableau accablant de la juiverie française et remit un rapport délirant sur le Talmud, qu'il présentait comme un ouvrage infâme et offensant pour la chrétienté.

Le pape écouta avec attention cet homme filiforme au visage sournois dont les yeux jetaient des étincelles.

En quelques jours, il se laissa convaincre du péril juif, et prit prétexte de ce rapport fielleux pour intenter un grand procès public dont le principal accusé n'était autre que le judaïsme.

Grégoire IX, déjà vieillissant et malade, obéit à Donin et demanda la confiscation des livres juifs afin qu'ils soient lus en profondeur par un groupe d'experts.

Enfin, après une étude minutieuse des écrits talmudiques, la controverse publique se tint à Paris, couvent des Jacobins, au 156 de la rue Saint-Jacques.

D'un côté, les accusateurs du Talmud. De l'autre, ses défenseurs.

Dans la vaste salle du tribunal présidé par Blanche de Castille, il faisait une chaleur insupportable. Des porteurs d'eau fraîche se relayaient des berges de la Seine jusqu'au couvent où des goûteurs d'eau et de mets s'assuraient qu'ils n'étaient pas empoisonnés. Des sourds-muets, armés d'éventails impressionnants, s'employaient à faire de l'air et à chasser la puanteur qui montait des latrines bouchées.

Un public bruyant, composé en sa majorité de notables et d'intellectuels juifs, de membres du rabbinat et des écoles talmudiques, se montrait anxieux.

De l'autre côté du prétoire, on notait la présence de toutes les tendances de la chrétienté, bien respectée dans sa hiérarchie et ses ordres.

Blanche de Castille n'était pas à son aise. Était-elle incommodée par la chaleur ? Était-elle soucieuse pour son fils, Saint Louis, lequel au même moment affrontait dans une plaine caillouteuse le duc de La Marche allié à une coalition anglo-normande ?

Parmi les juges régnait une certaine effervescence. On ne savait pas, en effet, où placer Eudes de Châteauroux, légat du pape et chancelier de l'université de Paris. Devait-on le mettre à la droite de Guillaume d'Auvergne, l'évêque de Paris, ou près de la bonne oreille de Geoffroy de Belleville, le chapelain de Saint Louis ? Côte à côte, Gauthier Cornut, l'archevêque de Sens, conseiller de la reine, et l'évêque de Senlis bavardaient aimablement.

Face aux juges, les accusés chargés de la défense du Talmud paraissaient assez fébriles. C'étaient pourtant des talmudistes confirmés, des champions en interprétation. Tous érudits et éminents savants. Parmi eux, Samuel Ben Salomon de Bordeaux, Moïse de Coucy, philosophe et écrivain, Judas Ben David de Melun et Rabi Yéhiel de Paris, docteurs en religion et en choses de l'esprit. C'est Rabi Yéhiel, dit Yéhiel Ben Joseph, qui allait répondre le plus souvent à ses accusateurs.

Yéhiel animait le centre rabbinique de Paris, un foyer où se retrouvaient nombre de jeunes étudiants provinciaux et étrangers. D'ailleurs, dans cette yeshiva dirigée par Yéhiel, les discussions entre Juifs et chrétiens sur les mérites comparés de leurs deux religions connaissaient un réel succès.

David s'impatientait. Il demanda à Charme d'aller plus vite. Il avait un nom en mémoire et n'entendait pas le perdre.

En ce jour du 25 juin 1240, les défenseurs du Talmud, comme tous les autres Juifs qui se pressaient dans la salle d'audience, portaient la rouelle côté cœur. C'était un rond jaune de la taille d'une grosse pièce de monnaie. Elle résultait d'une décision prise à l'encontre des Juifs six ans plus tôt, au concile de Latran, et aussitôt mise en application par Saint Louis. La rouelle devint le signe distinctif que chaque Juif se devait d'exposer à la vue de tout chrétien. Elle symbolisait l'âpreté au gain, c'est-à-dire les « trente deniers » de Judas. Sa couleur jaune était celle que l'on prêtait aux méchants, aux jaloux et à l'or.

David l'interrompit et demanda :

— Les Rosenweig portaient-ils l'étoile jaune ? Et moi-même, dans la soupente ? Et mon frère ? Avions-nous cette espèce de rouelle ?

— Non, les enfants de moins de 6 ans en étaient dispensés. Ça n'empêchait personne de les rafler. Tu sais, quand nous serons au bout de ton histoire, je t'offrirai les livres de Serge Klarsfeld. Ce sont des documents terribles. On y voit des milliers de photos de gosses endimanchés. Ils ont de 2 à 14 ans. Ils sont beaux, pleins de vie et de sourires. Et pourtant, ils ne sont plus.

On ne connaissait pas exactement l'âge de Rabi Yéhiel, le porte-parole du Talmud. La formule paraît cocasse, mais il s'agissait bien ici du procès fait à un livre et non pas à des hommes. Plus exactement, l'ensemble des plus hautes instances ecclésiastiques mettait en cause le peuple juif à travers un texte de réflexion et d'interprétation se rapportant à la Thora.

On suppose qu'au moment du procès, Yéhiel était déjà très âgé, dans les quatre-vingt-dix et quelques années. Cela n'enlevait rien à sa verdeur ni à sa fraîcheur d'esprit.

Nicolas Donin demanda le silence et attaqua d'emblée Rabi Yéhiel :

— Le Talmud exerce sur le peuple juif une arrogante autorité. Ce peuple affirme d'ailleurs que la Thora lui a été remise par Dieu en personne, ce qui aurait pour effet de l'éclairer sur le monde du passé, du présent et du futur.

Rabi Yéhiel eut un sourire méprisant et répondit au traître sans quitter des yeux la reine mère :

— Que nous reproches-tu pour nous avoir convoqués ici dans l'intention d'attaquer notre loi et de noircir nos âmes ? Tu penses attirer le malheur sur nous en détruisant les liens déjà bien fragiles qui nous unissent aux chrétiens. À ces fins, et pour nous salir, tu t'en prends à notre Thora que tu trouves injurieuse et calomnieuse envers le peuple que tu représentes aujourd'hui. En vérité, tu ne sais lire qu'avec les yeux de la haine et tu déformes comme il te plaît les mots les plus sages et les plus inoffensifs. D'une vérité, tu fais naître un serpent venimeux. D'un précepte reconnu par ton Église mais énoncé dans la Thora, tu fais surgir d'effroyables démons. Mon pauvre Donin, tu crois avoir la dent dure contre nous, les Juifs. En réalité, tu mords dans le vide et tu n'y laisses que ton souffle putride !

Rumeurs, bravos et protestations s'élevèrent, tout à la fois, dans la salle.

Sous la menace des gardes et la fermeté de la reine, le calme revint peu à peu.

Malmené, le procureur s'agitait et tentait de reprendre la parole à Yéhiel. En vain. La voix du Rabi s'enflammait.

— Tu devrais savoir que rien ne sert de nous attaquer par le biais de la Thora car tous, ici ou ailleurs, nous sommes prêts à mourir pour elle. Celui qui touche à notre livre des Lois touche à la prunelle de nos yeux. Et celui qui touche à nos yeux, quand bien même les crèverait-il, ne nous empêchera pas de lire, comme il ne nous empêchera pas d'entendre.

Yéhiel détourna son regard du visage impassible de Blanche de Castille, et le dirigea comme une lance sur celui de Donin. Il poursuivit :

— Voyons, toi qui te dis des nôtres et qui n'es, à mon sens, de nulle part, tu devrais savoir que notre Thora se trouve partout où nous sommes dispersés, et qu'elle nous rassemble par-delà les océans et les continents. La Thora est étudiée à Jérusalem, à Babylone, à Constantinople, à Alexandrie, à Athènes, à Rome. Elle est présente sur les rives de la mer Noire et de la mer Rouge. Et même au-delà du Nil et des fleuves d'Éthiopie.

— Assez ! cria Donin. Tout ce que tu dis sent le faux. Tu ne t'exprimes qu'avec les couleurs du mensonge. Tu crois faire illusion, mais tu ne fais que t'enfoncer.

Yéhiel ne releva pas. Ç'aurait été s'abaisser. Il regarda la reine et dit :

— Nos corps sont entre vos mains, mais nos esprits sont intouchables, comme est intouchable notre foi. Libre à vous d'éliminer la Thora de votre royaume, si bon vous semble, mais avant d'en arriver à ce point extrême, je voudrais vous assurer qu'il n'y a rien de diabolique dans notre livre, et que le Talmud est uniquement un recueil de lois et de traditions juives sur lesquelles nous nous penchons constamment afin de mieux les comprendre et d'en discuter à l'infini. Vous verrez alors que le Talmud, ce « coupable » que Donin voudrait brûler à jamais, ne diffame en aucune façon votre religion et vos croyances.

Protestations et applaudissements se firent entendre comme précédemment.

Parvenu à ce point de l'histoire, David intervint :

— Incroyable, ton Rabi, il ressemble drôlement à Seltzer !

— Oui, c'est vrai, mais Seltzer ne croyait pas en Dieu. L'athéisme, c'est le fruit de la libre pensée. Et la pensée progressiste, tu le sais bien, c'est relativement nouveau. Regarde, par exemple : sous Blanche de Castille, sous Saint Louis, tout le monde croyait en Dieu.

— Et toi ? demanda David.

— Oh ! moi, quand j'étais gosse, je croyais à toi et à ton frère. Vous étiez mes anges invisibles, les émissaires du Seigneur. Maintenant, je crois aux signes, à l'instinct, au regard de l'autre. Je crois au vent, aux fleuves, aux sommets, aux abîmes, aux tempêtes, aux herbes folles, aux étoiles filantes...

— Tu es animiste, alors ?

— Non, quand je te regarde, je suis amoureuse.

Il demanda :

— Yéhiel, qu'est-il devenu ?

— Certains prétendent qu'il est parti pour Jérusalem. D'autres, qu'il est resté dans une cave de la rue des Rosiers. D'autres encore, qu'il aurait purement et simplement disparu.

— Un peu comme moi, alors ?

— Toi, on t'a retrouvé.

De son beau sourire, elle ajouta :

— En ce qui concerne Yéhiel, je pense qu'il a ordonné l'assassinat de Donin.

— Un rabbin tueur, c'est énorme ! Qu'est-ce qui te fait dire ça ?

— On a retrouvé Donin découpé en morceaux. On suppose que Yéhiel s'est fait aider par un boucher de la rue des Rosiers nommé Jonathas.

— Jonathas, répéta David avec un drôle d'air, ce nom-là me dit quelque chose...

En effet, David avait quelque chose en mémoire. Ça lui revenait peu à peu. C'était brouillé, imprécis, et même très brouillon. Il cherchait son chemin. Il avançait à tâtons, à l'aveuglette. Il tapait dans sa mémoire à grands coups de bâton blanc.

Il faisait si chaud, ce jour-là, et les gorges étaient si desséchées que les porteurs d'eau et de sirops ne savaient plus où donner de la tête.

Eudes de Châteauroux, le légat du pape, intervint alors et s'adressa au rabi :

— L'ennui, avec vous, c'est que vous ne soumettez pas votre entendement à l'Écriture, mais l'Écriture à votre entendement.

Rabi Yéhiel consulta subrepticement Moïse de Coucy qui fouillait dans sa barbe, puis répondit au légat du pape sans se départir de son calme :

— Il est impossible, pour bien des gens, de saisir l'esprit du Talmud à cause des préjugés et du fanatisme qu'on lui prête. Nicolas Donin le sait, même si les autres sont de bonne foi. D'autre part, la traduction de l'hébreu en latin est une traduction mot à mot. Elle est très précise et très scientifique. Ce qui rend fort difficile la compréhension des expressions propres au Talmud. Ainsi traduit, le livre paraît codé. Plus grave encore, une bonne part des reproches faits au Talmud va au-delà du but et se retourne contre la Bible elle-même. L'Écriture, comme vous dites, contient beaucoup de passages invraisemblables. Exemple : l'épouse de

Lot est changée en statue de sel. L'ânesse de Balaam se met à parler. On ne pourrait dénombrer toutes les difficultés que présenterait la Bible si le Talmud était supprimé...

Tohu-bohu chez les juges. L'évêque de Senlis, en colère, prit la parole :

— Dans le Talmud, vous blasphémez contre Jésus. Par exemple, selon vous, Jésus serait aux enfers, condamné au supplice de la boue en ébullition. Toujours d'après vous, Jésus serait un fils illégitime de Marie et de Ben Sotard ! C'est inacceptable.

Yéhiel répliqua aussitôt :

— Qu'y a-t-il d'étonnant à ce que l'on y trouve quelques attaques contre Jésus ? S'il faut s'étonner d'une chose, c'est qu'il n'y en ait pas davantage ! De toute façon, le passage relatif à Jésus ne se rapporte pas à Jésus-Christ mais à Jésus de Sotard, exécuté à Lydia, avec lequel certains talmudistes l'ont confondu.

L'évêque de Senlis s'écria alors :

— Vous avouez donc que le Talmud est truffé d'erreurs !

Rabi Yéhiel ne se démonta pas. Il lissa sa barbe et murmura :

— Je ne vous l'apprends pas. C'est vrai, l'erreur est humaine...

Donin frappa du poing sur son pupitre et hurla :

— Chez les Juifs, l'erreur est déifiée. On ne revient pas dessus. Au contraire, on s'y enfonce. Et puis, on érige le blasphème en morale. Souvenez-vous donc, après la prise de Jérusalem par les chrétiens, le Rabi Simon Ben Yohaï n'a-t-il pas proclamé : « Le meilleur des goyims, tuez-le ! N'hésitez pas ! »

Rabi Yéhiel sourit et répondit :

— Lorsque Simon Yohaï s'écrie : « Le meilleur des goyims, tue-le ! N'hésite pas ! », ce sont les paroles de douleur et d'indignation arrachées aux Juifs par les souffrances qu'ils ont endurées. En effet, Simon a en tête l'horrible spectacle de la cruauté des Romains du temps d'Hadrien. Ces mots sont lancés comme un acte de légitime défense. Il ne faut surtout pas y voir une quelconque règle de conduite à tenir vis-à-vis des chrétiens.

Blanche de Castille toisa le Juif de tout son mépris et grommela à l'oreille de Donin :

— Mon fils et moi-même abhorrons tout ce qui n'est pas chrétien et en premier lieu tout ce qui est juif. Nous jurons d'abattre la force de ce peuple indigne ! Nous jurons de briser sa pensée ! Nous jurons d'annihiler sa culture et sa maudite influence !

Cet aparté donna lieu à un incroyable chambardement. Des rabbins et leurs élèves se ruèrent vers le camp adverse. La bagarre s'engagea. Elle fut dure et âpre. Moins nombreux, ils cédèrent bientôt du terrain et revinrent défendre le Talmud aux places qui leur avaient été attribuées.

Comme le calme ne se rétablissait pas malgré la soldatesque qui tapait sur tout le monde, on dut faire évacuer la salle. Il n'y resta qu'une vingtaine de personnes concernées directement par le procès. Toutefois, l'un des juges, Gauthier Cornut, archevêque de Sens et conseiller de la reine, choqué par les paroles de la souveraine, se démarqua et prit la défense des Juifs à travers celle du Talmud.

Blanche de Castille, ainsi défiée, jeta des flots d'injures sur le traître qui osait la braver.

Fort de ses convictions, l'archevêque offrit sa démission et quitta le tribunal sous les huées des uns et les applaudissements des autres.

La séance, aussitôt suspendue, fut reportée au lendemain.

Enfin, le 6 juin 1242, soit deux ans plus tard, le Talmud fut condamné à mort. La justice royale, en accord avec le pape Grégoire IX, donna l'ordre de brûler le livre maudit en place de Grève.

Toute la journée, ce ne fut que va-et-vient de tombereaux remplis à ras bord de Thora, de Talmud, mais aussi de textes explicatifs et philosophiques se rapportant à la religion. Et bien d'autres publications de toute origine.

On brûla tout ce que la culture juive avait produit depuis la nuit des temps : des livres saints, bien sûr, mais aussi des manuscrits rares rapportés d'Orient. Et, pêle-mêle, des atlas, des essais d'érudits, des livres de classe, des cahiers d'écoliers, des tableaux, des dessins, des poèmes, des journaux intimes, des lettres, des carnets de comptes, des actes notariés. Tout y passait, et pas seulement ce qui avait été saisi deux ans plus tôt et entreposé dans les couvents des Frères prêcheurs.

En ce jour de châtiment, la populace allait d'elle-même de maison en maison, saisissant au passage tout texte, tout écrit rédigé en hébreu, et les entassait sur les charrettes qui stationnaient au coin des rues.

Enfin, vers les 21 heures, le feu de joie fut allumé pour le plus grand plaisir d'une foule surexcitée. Quand le brasier eut suffisamment d'ampleur, on y déversa le contenu des cinquante-deux tombereaux, soit deux mille sept cents livres saints et trois fois plus de recueils, registres et ouvrages scientifiques que le bon peuple, tout comme le prévôt, les universités, le clergé, conspuaient copieusement à mesure qu'ils partaient en fumée.

Tard dans la nuit, on alimenta encore le feu d'objets et de figurines volés quelques instants plus tôt dans les maisons juives. Malgré la chaleur qui se dégageait du bûcher, des gens dansaient autour, à moitié nus. Ivres ou possédés, ils réclamaient que l'on jette encore au brasier les rabbins et les chrétiens félons ayant intercédé auprès du pape afin que la sentence ne soit que partiellement et symboliquement appliquée...

David avait écouté ce passage sans broncher. Il était pâle, mal à l'aise.

Comme Charme le regardait, attendant quelque chose de lui, il dit :

— Je sais, maintenant.

Impatiente, elle le dévorait des yeux.

Il poursuivit :

— Écoute, je ne suis pas tout à fait sûr, mais j'ai l'impression de connaître Anne-Marie Donin. Je pense qu'elle m'a peut-être recueilli à un moment donné. Je ne vois pas son visage. Je ne sais pas comment le dire, je ne trouve pas les mots, mais son regard m'accroche.

Étonnée, Charme s'exclama :

— Tu es dans le vrai. En effet, entre Anne-Marie Donin et toi, il y a eu quelque chose de très fort. Et puis, brusquement, ce fut l'accident, la catastrophe. Tu t'es retrouvé en nourrice chez des gardes-barrières. Il paraît que tu sursautais au passage des trains.

— Ça doit être ça. Je ne supporte toujours pas les gares. Encore moins les passages à niveau.

Il hésita un moment et demanda :

— Les gardes-barrières, tu les as revus ?

— Non.

— Ils sont peut-être vivants ?

Elle eut une moue évasive :

— Peut-être. Ce que je sais, c'est que la baraque est désaffectée.

Elle reprit, avec le sourire :

— C'est drôle, mais tu es sans doute le dernier des Verner. Enfin, mis à part ceux de ta propre famille...

Il soupira :

— La mère Verner, je ne me la rappelle pas exactement, mais je l'aimais bien.

Elle dit :

— C'est normal, tu n'avais que trois ans.

Il dit :

— Elle me cajolait. Elle me parlait de mes vrais parents. Elle me racontait que l'on fuyait, tous ensemble, sur la route de l'exode quand le stuka s'était mis à piquer du nez pour nous mitrailler. Après le passage de l'avion, il ne restait plus qu'elle et moi. On avait roulé tous les deux dans le fossé.

Il serra les poings et murmura :

— Je l'aimais bien, mais tout ça, c'était faux, c'était des racontars. Ça ne tenait pas debout.

— Elle croyait bien faire, dit Charme. En réalité, tu es arrivé chez elle en août 1944. L'exode, c'était déjà de l'histoire ancienne.

— L'exode, je ne savais même pas ce que c'était. Noam, mon maître d'école, nous en a parlé. Il me croyait plus âgé. Je lui ai dit que mes parents avaient été fauchés par un avion. Je ne suis pas sûr qu'il me croyait. Je pense qu'il ne voulait pas me contredire. C'était un type bien. Il m'a appris beaucoup de choses. Il m'a fait confiance. Il m'a donné de l'amitié, de la chaleur. Voilà pourquoi j'ai appelé mon deuxième fils Noam...

Quand Charme jugea David suffisamment instruit des événements qui avaient précédé sa naissance, elle aborda le chapitre des vérités à rétablir. Il y avait du sordide et du sublime, du dévouement et de la délation, du généreux et du mesquin, de la cruauté et de la folie, de l'aveuglement et des petites lumières au bout des tunnels, des étincelles dans les prunelles, de gentilles choses de tous les jours, de méchantes choses toujours, toujours.

C'était un mélange varié et avarié propre à la vie.

Chapitre IV

Lorsque Lucie Garcin, la locataire du rez-de-chaussée, ne vit plus revenir Perla rue des Rosiers, elle appela à son domicile de Pontoise. Là, une voix d'homme lui répondit sèchement :

— Perla n'est pas joignable. Elle est à l'hôpital avec une jambe cassée.

La voix demanda :

— C'est de la part de qui ?

L'accent était mauvais. Lucie se méfia et dit :

— Oh rien, c'était juste pour avoir des nouvelles !

Au bout du fil, le type la railla :

— Vous faites aussi la pute pour vous acheter des nippes ?

Lucie n'avait pas envie de se justifier. Elle couchait avec Noël Boufardoux, le coiffeur. Ça lui rapportait quelques tickets d'alimentation.

Néanmoins, avant de raccrocher, elle lança :

— Dites donc, espèce de connard, j'ai encore jamais gardé les cochons avec vous !

— C'est ça ! rétorqua le marlou. Va te faire troncher ailleurs, salope !

Lucie se dit que Perla devait être dans une mauvaise passe. Ça ne lui déplaisait pas. Elle détestait cette fille. Elle la trouvait bégueule, distante. Elle avait le feu au cul et elle en tirait le meilleur parti.

Ces derniers temps, ça devait payer pas mal. Elle changeait de toilette plus souvent que de culotte : des trucs chers qu'aucune boniche n'aurait pu s'offrir avec sa paye.

La bonté d'âme ne caractérisait guère Lucie. C'était une envieuse, une jalouse, une antisémite de toujours.

Après la grande rafle, elle s'était publiquement réjouie. *« Enfin, pas trop tôt ! Bon débarras ! Au revoir et à jamais ! »*

La même chose quand on vint chercher Rosa. La garce n'était pas juive. C'était tout comme. Elle frayait avec eux. Elle travaillait pour les Rosenweig. Elle se faisait même bousculer par Chaïm dans son atelier du fond de la cour. Elle les avait surpris dans une posture équivoque. Chaïm s'était empressé de se rebraguetter.

Lucie se doutait bien qu'il se tramait quelque chose de louche dans l'appartement de Rosa Zelasny.

Elle y monta et força la porte. Elle s'attendait à tout, sauf à y trouver les jumeaux qui braillaient sous le toit.

Son sang ne fit qu'un tour. Les enfants avaient donc échappé à la rafle. C'était cela le mystère. Rosa s'était sacrifiée. Elle s'était laissé emmener sans résister. Quant à Perla, elle avait pris le relais contre on ne sait quelle promesse.

Des habits, des chaussures, des chapeaux traînaient un peu partout. Il y avait même une liasse de billets sur la table, et des pièces d'or : des louis et des napoléons.

Lucie grimpa sur une chaise et ouvrit la trappe par laquelle on accédait à la soupente.

Les deux petits étaient en bonne santé. Ils avaient faim et soif. Ils sentaient le caca, le pipi, et n'arrêtaient pas de gueuler.

Elle les sortit de la soupente. Elle les changea et les abreuva. C'était la moindre des choses. On ne laisse pas mourir des bébés de onze mois dans une cachette.

Elle en voulut aux sœurs Zelasny d'avoir gardé le secret pour elles seules. Des garces ! Des vénales ! Tout ça pour profiter du pactole laissé par les parents.

Lucie les maudissait. Que serait-il advenu des gosses si elle n'avait eu la curiosité de monter voir ?...

Passé le choc, elle empocha argent et pièces d'or. Pour les bébés, c'était une autre affaire. Ça demandait réflexion. On pouvait sûrement en tirer un bon parti. C'était même l'occasion ou jamais de se faire un peu de fric sur le dos des Juifs. Au pire, on pouvait toujours les dénoncer et toucher la prime.

Elle verrait plus tard. Pour le moment, Lucie n'avait d'autre choix que de nourrir et dorloter les gosses, d'une ressemblance confondante. Les prénoms Élie et David, brodés sur le linge de corps, permettaient heureusement de les reconnaître.

Des jours s'écoulèrent, émaillés d'indécision et de tourment.

Désorientée par la découverte, ne sachant comment profiter au mieux de cette opportunité du destin, Lucie Garcin se rendit chez Marie-Louise Boufardoux, concierge rue de Rivoli.

Marie-Louise, c'était aussi la mère de Noël, le coiffeur de ces dames et l'amant occasionnel de Lucie.

Mère et fils étaient connus pour leur âpreté au gain. C'étaient des collabos émérites. L'un et l'autre avaient fait leurs preuves. Lui, en signalant à la police ses clients suspects. Elle, en dénonçant six de ses locataires et une dizaine d'autres personnes qui logeaient dans des immeubles voisins.

Sans métier, Lucie s'était spécialisée dans le marché noir. Elle écoulait les produits de la ferme de ses cousins, les Garcin, par l'entremise de la Boufardoux. Tout ce qui arrivait de la ferme de Bernay, beurre, œufs, fromage, poulets, lapins, passait par cette loge de la rue de Rivoli.

La Boufardoux, 60 ans, une allure de mégère, répartissait les victuailles chez des connaissances aisées. Elle faisait moitié-moitié avec Lucie, sauf que Lucie, maquée avec le coiffeur, lui ristournait une commission.

Lucie ne faisait pas vraiment confiance à la Boufardoux. Cette fois, elle n'avait pas d'autre solution. La chose était si énorme que ça la dépassait. C'est presque à regret qu'elle dévoila l'existence des jumeaux.

Regard fouineur, la Boufardoux écouta Lucie, alternant sourires entendus et grimaces de satisfaction.

Quand elle eut enregistré les données du problème, elle dit :

— Tu ne vas tout de même pas t'embarrasser de deux moutards. Tu vas me fourguer ça en vitesse. File au commissariat de ma part et demande le brigadier Meursault.

— Le brigadier, répéta Lucie, vous croyez ?

— Je ne crois à rien, ma fille ! lança la Boufardoux, et surtout pas à ton soi-disant cas de conscience. La conscience, ma petite, ça se résume à une loi. Et la loi, c'est ni toi ni moi qui en sommes responsables. Nous, on est là pour l'appliquer. Crois-moi, ceux qui ont promulgué les lois antijuives, Laval, Pétain et les autres, ils vivent très bien avec leur conscience. Ça ne les empêche ni de bouffer, ni de pioncer. C'est même le contraire. Ils méritent de la patrie car ils la débarrassent de toute cette vermine étrangère qui s'accroche à son cul, comme des morpions.

Lucie était convaincue. La Boufardoux raisonnait en honnête citoyenne. Elle demanda :

— La prime, elle est de combien ?

— Elle est moitié pour toi, moitié pour moi.

— Comme pour les poulets ?

— Exact, ma fille. Sauf que le montant de la prime, c'est pas ton cousin normand qui le fixe, mais les Boches !

— Ça va chercher dans les combien ? demanda à nouveau Lucie.

— Vu leur âge, répondit la Boufardoux, c'est fluctuant. Ça peut faire du simple au double !

Elle se gratta la cuisse de ses doigts boudinés et ajouta :

— Si tu veux mon avis, ma cocotte, ce qui compte, c'est pas la prime, c'est de t'en débarrasser. Voyons, espèce de gourde, tu ne vas tout de même pas te mettre deux youpins sur le dos !

La concierge se faisait des illusions sur la moralité de Lucie. Certes, en les toilettant, en donnant le biberon, elle ressentait bien un vague penchant pour les bébés. Pas assez, toutefois, pour éprouver culpabilité et remords. Après tout, elle leur avait sauvé la vie. Autant en tirer profit.

Dégagée de toute obligation, Lucie se rendit au commissariat en sifflotant la chanson de Rina Ketty, « J'attendrai toujours, le jour et la nuit, j'attendrai toujours ton retour, comme l'oiseau dans son nid ».

Comme elle se recommandait de la concierge Marie-Louise Boufardoux, le brigadier Meursault ne la fit pas attendre.

Dans les 50 ans, taille moyenne, l'air affable, Meursault détailla la fille : robe imprimée, poitrine avachie. La coiffure, l'accent parigot à l'Arletty, c'est tout ce qu'elle avait de l'actrice. Le reste était ingrat : regard fuyant, visage fermé.

Il la fit asseoir en face de lui, croisa ses mains sur une feuille de papier buvard et demanda :

— Comment va Mme Boufardoux ? Voici un moment que je n'ai pas eu de ses nouvelles. Il faut dire qu'elle nous a beaucoup aidés à nettoyer le quartier.

Ne saisissant pas l'allusion, Lucie le coupa :

— Ah ça, pour le nettoyage, c'est une championne ! La cage d'escalier brille comme un sou neuf.

Le brigadier Meursault ne releva pas et termina sa phrase :

— C'est que la collaboration des citoyens est une bonne chose pour la collectivité. Cependant, point trop n'en faut. En ce qui concerne Mme Boufardoux, mon jugement n'est pas très favorable. Elle dénonce à tort et à travers. Et quand le tort est fait, eh bien, l'image de la police s'en ressent !

Il attendit la réaction étonnée de Lucie et poursuivit :

— Voyez-vous, mademoiselle, j'y ai participé, mais je regrette que la police française se soit fourvoyée dans la grande rafle de juillet dernier.

Lucie commençait à comprendre. Elle se disait que Marie-Louise Boufardoux n'était plus dans les petits papiers du brigadier parce que trop zélée, trop acharnée à dénoncer les Juifs et les francs-maçons.

Au moment où elle cherchait une autre histoire à inventer, Meursault lui adressa un large sourire et demanda :

— Alors, mademoiselle, racontez-moi donc ce qui vous amène vers moi !

Elle hésita et bafouilla :

— Eh bien, voilà, dans l'immeuble où j'habite, rue des Rosiers, il y a deux enfants juifs cachés dans une soupente.

— Des enfants de quel âge ? demanda sèchement le brigadier.

— Des tout-petits, ce sont des bébés.

— Des bébés cachés dans une soupente ! Comment ça, et depuis quand ?

— Eh bien, depuis votre fameuse grande rafle ! répondit Lucie. Vous avez arrêté les parents, mais les gosses étaient alors chez une voisine.

Le brigadier fronça les sourcils. D'un air sévère, il dit :

— Vous me demandez d'arrêter la voisine ! C'est ça ?

Lucie répliqua avec un rire nerveux :

— Vous n'y êtes pas. Pour la voisine, c'est déjà fait.

— Et qui s'occupe des enfants ?

— Personne... Enfin, moi, par la force des choses ! On ne peut tout de même pas les laisser mourir de faim.

— Vous avez raison, dit le brigadier soulagé. Vous faites un geste très humain.

Elle chercha comment dire la suite. Ça devenait difficile. Mais qu'avait-il donc à la féliciter ? Depuis quand la police prenait le parti des Juifs ?

Tant pis, elle se jeta à l'eau :

— C'est que j'en ai marre de m'occuper d'eux. Je préférerais vous les remettre et toucher la prime.

Meursault en avait vu de toutes sortes : des vénales, des pourries prêtes à vendre père et mère. Cette fois, il touchait le fond.

Il la regarda droit dans les yeux et dit :

— La vocation de la police n'est pas d'arrêter des bébés mais de les protéger, mademoiselle. Ce que vous me proposez là n'a pas de nom. Je dirais même qu'il s'agit d'une saloperie.

Elle accusa le coup. Elle ne s'attendait pas à pareille leçon. Décontenancée, elle s'exclama :

— Mais ce sont des Juifs, des vrais de vrais, ils sont même circoncis.

— Ça suffit ! s'écria le brigadier Meursault. Un mot de plus et je vous coffre !

Rageuse, elle lança :

— C'est ça, vous me coffrez. Et qui s'occupera des mioches ?

Meursault prit sur lui. Le pire, c'est qu'il était touché en pleine conscience. La sienne était mauvaise. Il se reprochait plusieurs arrestations de gosses. Il revivait ces moments difficiles. C'était affreux. Il était marqué pour la vie.

Il se contrôla du mieux possible et dit :

— Écoutez, ma petite dame, je vois que vous avez besoin d'argent. Je vous propose autre chose que cette exécrable prime de dénonciation. Ne lâchez pas les bébés tout de suite. Prenez contact avec l'UGIF, c'est au numéro 4 de votre rue.

Elle ne put s'empêcher de lancer :

— Comment ça ? Il en reste encore là-dedans ?

Il se retint. Il avait affaire à la quintessence de l'antisémitisme, à la bêtise crasse, à l'ignorance, à la haine larvée ; le tout déguisé en brave fille. À l'UGIF, en juillet dernier, les flics de son commissariat, lui en tête, avaient raflé vingt et un écoliers et apprentis. Un seul reviendrait des camps de la mort. Il ne l'apprit que trois ans plus tard.

Pour l'heure, Meursault fit semblant de ne pas entendre. Il nota quelque chose sur son bloc et tendit le feuillet à Lucie :

— Demandez M. Norbert Fitermann. Il saura quoi faire des enfants.

Elle rangea le bout de papier dans son sac et demanda :

— Il paiera ?

Meursault devint livide. Il se leva et montra la porte :

— Foutez le camp d'ici, espèce de pétasse !

La pétasse se méfiait du commissaire. Bien sûr qu'elle verrait Norbert Fitermann. Mieux valait cependant planquer les jumeaux avant d'engager les négociations.

Elle partit pour Bernay, un couffin dans chaque bras. Pour la première fois, elle quittait Paris chargée. D'ordinaire, elle allait à vide et revenait à plein. Aujourd'hui, il s'agissait d'autre chose que de beurre et de salaisons. Ça ne l'empêcherait pas de ramener les habituelles victuailles de chez ses cousins.

Prudente, Lucie déménagea les gosses au petit matin. Elle alla ainsi dans les rues désertes, à l'heure du laitier, et se laissa héler par un vélo-taxi.

Le maigrichon touchait des tickets d'alimentation, catégorie travailleurs de force. Il n'était pas au mieux de sa forme. Il cala plusieurs fois en remontant la rue de Rennes.

Elle faillit rater son train pour Évreux. Un 6 h 43 qui n'avait pas de retard au départ mais qui accusa plus de six heures de décalage à l'arrivée.

La gare était bourrée d'Allemands, une relève de bunkers sur le mur de la Manche.

D'Évreux, la Lucie prit un car à gazogène, poussif et enfumé, qui la déposa à la gare routière de Bernay. Son cousin Paul l'y attendait dans son attelage des jours de marché.

Le Paul et la Marie tombèrent des nues. Qu'est-ce que la Lucie fabriquait avec ces mioches ? Et pourquoi elle les leur confiait, comme s'ils n'avaient pas déjà assez de travail comme ça ?

Lucie joua les mystérieuses. Elle ne pouvait en dire davantage à cause des oreilles ennemies qui traînent partout. Qu'ils se rassurent, l'affaire serait juteuse. Ce n'était qu'une question de jours.

Les Garcin firent contre mauvaise fortune bon cœur. On logea les petits dans l'étable. C'était pratique. Il n'y avait pas à aller très loin de la couche à la traite. Et puis, ici, personne d'autre que les vaches pour les voir et les entendre.

Braves gens, les Garcin laissèrent repartir Lucie sans lui poser d'autres questions. Ils se doutaient bien qu'il ne s'agissait pas d'enfants tout à fait normaux. Malgré leur jeune âge, ils traînaient sans doute derrière eux une sale histoire. Peut-être avaient-ils été volés par des gitans et recueillis par leur cousine ? Peut-être cherchait-elle à les rendre à leur mère contre une rançon ? Peut-être étaient-ils juifs ? Comment reconnaître un bébé juif d'un autre bébé quand on n'a jamais entendu parler de circoncision ? La seule chose dont les Garcin étaient absolument sûrs pour l'avoir écouté à la radio, c'est que les Juifs sont affublés d'un grand et gros nez tout recourbé. Mais comment reconnaître un bébé juif d'un bébé non-juif quand le nez n'a pas encore eu le temps de pousser ?

Lucie se méfiait du coup fourré. Elle s'était dit que Meursault l'attendrait devant chez elle et qu'il demanderait à voir les enfants.

Elle s'était inquiétée pour rien. Personne n'était venu.

Maintenant, ça lui laissait du champ pour négocier avec les gens de l'UGIF. Jusqu'alors, elle les croyait tous capturés, sous bonne garde à Drancy, à Compiègne ou ailleurs. Elle se demandait pourquoi on n'avait pas embarqué Norbert Fitermann et les autres responsables de l'Union générale des Israélites de France avec les gamins et les apprentis du 4, rue des Rosiers.

Lucie n'avait pas d'états d'âme. Elle ne se posait qu'une seule question. Et la question amenait une arrière-pensée : Fitermann ne serait-il pas protégé par le brigadier Meursault ?

De cette arrière-pensée en découlait une seconde : Fitermann collaborait-il avec Meursault ? Sous quelle forme ? Et à quelles conditions ?

Un moment, elle eut peur de se faire avoir. Elle pensa appeler la Boufardoux à la rescousse. Elle y renonça presque aussitôt. La Boufardoux écoulait au prix fort les produits qu'elle ramenait de la ferme. En principe, elle partageait par moitié. Lucie n'en était pas sûre. Peut-être vendait-elle plus cher. L'ennui, avec le noir, c'est qu'il n'y a pas de facture. Elle se faisait certainement rouler. Sur ce coup spécial, la Boufardoux était tout à fait capable de la doubler. Elle ne valait pas mieux que son coiffeur de fils, pingre et vicelard comme pas deux...

Au numéro 4 de la rue des Rosiers, siège de l'UGIF, la grande rafle de juillet avait laissé des cicatrices. On y voyait des griffures sur les murs, des traînées d'ongles, à croire que les gosses s'y étaient accrochés. La même chose dans les ateliers et les dortoirs. Nul doute, les apprentis ne s'étaient pas laissé embarquer sans résister.

Dans les bureaux quasi déserts régnait une atmosphère de désespoir. On regrettait de s'être laissé manœuvrer par le Haut Commissariat aux affaires juives. Les Allemands s'étaient servis de l'UGIF pour répertorier les Juifs et les inciter à porter l'étoile jaune. Plus encore, l'UGIF conseillait à ses sujets de n'opposer aucune résistance lors de leur arrestation. À sa décharge, l'UGIF ne pouvait imaginer que l'on séparerait les familles au départ des convois, ni même qu'il y aurait un jour des trains à destination des camps de la mort. Pour l'UGIF, le malheur du peuple juif devait s'arrêter à Drancy, Compiègne, Pithiviers ou Beaune-la-Rolande. Au-delà, ça relevait d'une autre compétence et d'une organisation régie par la démence.

Rongé par le remords, Fitermann avait vieilli de dix ans en quelques mois. Lucie le croisait souvent. Un simple voisin d'immeuble. Ils se saluaient du bout des lèvres. Rien de plus. C'était une espèce d'échalas courbé sous le poids du monde. Ça pesait lourd sur ses épaules étroites. Dans le quartier, on l'appelait Saint-Galmier, du nom de la bouteille d'eau minérale en forme de quille.

Quelque peu rassurée par cette vieille connaissance, Lucie prit le siège que lui désignait Fitermann.

Elle toisa la dactylo d'un mauvais œil et murmura :

— Excusez-moi, monsieur, mais ce que j'ai à vous dire est secret !

— Eh bien, justement, lança Fitermann d'une voix ferme qui détonnait avec son physique, Melle Olga va prendre votre secret en sténo !

Déroutée, Lucie répéta :

— Mais c'est confidentiel, personne d'autre que vous ne doit savoir. Il s'agit d'une affaire très particulière.

L'échalas eut un sourire et dit :

— Je suis parfaitement au courant de l'affaire, mademoiselle. Le commissaire Meursault m'a prévenu, et je vous sais gré d'avoir protégé les jumeaux Rosenweig que nous n'avons heureusement pas comptés parmi nos milliers d'innocentes petites victimes disparues à jamais. En ce qui les concerne, je vous l'accorde, cela tient du miracle !

La sténo ne put retenir un gros soupir, suivi d'une réflexion :

— C'est une histoire merveilleuse et elle nous réconcilie avec l'existence !

Lucie se trouvait gênée. Ça ne tournait pas dans le bon sens. Elle venait vendre les gosses Rosenweig et voici qu'on la félicitait une fois de plus d'avoir sauvé ces enfants.

Indécise, elle flotta quelques secondes et se reprit en jouant les héroïnes. Elle parla des sacrifices consentis, de son isolement, de ces quatre mois passés en solitaire, s'interdisant de recevoir sa propre famille. Un véritable « saterdoce » ! Elle écorcha le mot dont elle ne comprenait pas la portée. Ça ne faisait rien. À l'UGIF, ils écorchaient aussi les mots. De toute façon, Fitermann n'était pas dupe. Cette fille-là n'avait rien d'une sainte. Chez elle, on n'entrevoyait ni pitié ni piété.

Il demanda :

— Qu'attendez-vous de moi ?

Lucie ne répondit pas directement. Elle inventa une bague saphir bleu profond et un camée de toute beauté mis au clou pour trois fois rien. Juste de quoi acheter le lait et la farine, des barboteuses et des langes de rechange. Tout cela, le dérangement compris, l'angoisse, la peur d'être dénoncée, elle n'en pouvait plus. Elle était malade, anémiée.

Fitermann leva les yeux au ciel.

Quitte à décevoir la dactylo au cœur de midinette, il dit :

— Vous mentez comme vous respirez. J'ai bien connu Rosa Zelasny. Je sais qu'elle s'est occupée des enfants Rosenweig jusqu'à son arrestation. Ensuite, la sœur de Rosa a pris le relais.

Lucie blêmit. Ce salopard de Juif l'avait démasquée. Elle s'apprêtait à se défendre quand il ajouta :

— Dites-moi plutôt où vous avez caché les petits et à combien estimez-vous le prix de votre sacrifice ?

Lucie hésita. Devait-elle annoncer un chiffre et en finir au plus vite ? Devait-elle, au contraire, attendre que cet hypocrite de Fitermann fixe une somme ?

Elle dit :

— La semaine dernière, j'étais si épuisée que

j'ai transporté les bébés chez mon cousin, en Normandie. Là-bas, ils sont en sûreté.

La sténo n'y comprenait plus rien.

— En Normandie ! s'exclama Fitermann. Où ça ? La Normandie, c'est grand !

— Du côté de Bernay, dans l'Eure.

— Il me faut l'adresse exacte. J'enverrai quelqu'un prendre les enfants.

— Quelqu'un ? répéta Lucie, surprise. Mais qui ça ? Pourquoi ? Et qui va me dédommager ?

Le mot était prononcé. Il ne restait plus qu'à discuter.

Fitermann prit un air détaché et dit :

— Combien voulez-vous ?

Lucie ne s'attendait pas à quelque chose d'aussi direct. Prise de court, elle visa haut :

— Il me semble que 60 000 francs pièce serait convenable.

Fitermann perdit son calme. Il bondit :

— Vendre des enfants juifs n'a rien de convenable, mademoiselle.

La sténo, toujours aussi midinette, renchérit :

— Voyons, Melle Lucie, un bébé, ça ne se compte pas à la pièce, et ça ne se monnaye pas.

— Et pourquoi ça ? rétorqua Lucie, très irritée.

— Parce que la vie humaine n'a pas de prix.

— Pour moi, elle en a un, répliqua crûment Lucie. Figurez-vous que je me suis crevé le cul à élever ces deux petits youpins. Et vous, pendant ce temps-là, vous dressiez des listes que vous adressiez aux Boches !

— Vous n'avez pas le droit de dire ça ! lâcha Fitermann en pâlissant.

Lucie avait mis le doigt là où ça faisait mal. C'était vrai. L'UGIF, une organisation sociale juive, avait dénoncé la plupart de ses membres aux Allemands. Il s'agissait d'une effroyable méprise, d'une erreur de stratégie. On croyait noyauter la Gestapo, tromper le Haut Commissariat aux affaires juives. En réalité, les Allemands et les collabos s'étaient liés, ensemble, pour mieux mouiller l'UGIF.

Lucie profita du désarroi. Elle précisa :

— Je veux 60 000 francs par enfant.

— 120 000 francs, chuchota la sténo comme pour elle-même, mais c'est ce que je gagne en deux ans et demi...

— 120 000 francs ! dit Fitermann, complètement dégoûté. Eh bien, soit ! Désormais, la vie d'un enfant juif aura son prix.

Il se leva tout à coup. Il était hors de lui. Il ouvrit la fenêtre et hurla en pleine rue :

— Approchez, mesdames et messieurs ! C'est un responsable de l'UGIF qui vous parle. Je suis sérieux. J'offre 60 000 francs à toute personne susceptible de me ramener un enfant juif caché dans une cave ou sous des combles.

La sténo, une blonde au cœur d'artichaut, calma son patron et ferma la fenêtre.

Recroquevillé dans son fauteuil, Fitermann récupérait. Il avait perdu la tête. Maintenant, ça allait un peu mieux.

Lucie s'inquiétait. Elle n'en voulait pas à Fitermann. Bien sûr, il était juif, mais les Juifs, c'est comme tout le monde. Il y en a des bons et des mauvais. Elle dit :

— D'accord, je vous donne l'adresse de la ferme. Le mieux serait que la transaction puisse se faire ailleurs que chez mon cousin. Je vous propose l'*Hôtel du Lion d'Or*, au centre-ville. C'est un endroit discret.

Effondré, Fitermann murmura :

— Entendu pour le *Lion d'Or*, la personne que j'envoie vous y attendra en fin de matinée. J'espère que cela vous convient...

Il n'y avait pas d'ironie chez Fitermann. Plus rien d'autre que le désir de tout faire pour écarter les jumeaux des griffes de cette salope. Pour l'argent, il verrait avec la Fondation Rothschild. À moins qu'il ne s'adresse à Anne-Marie Donin de Clavière. C'était une goy, une aristocrate. Elle mettait sa fortune au service de la cause juive.

Lucie demanda :

— Et comment s'appelle cette personne ?

— Mme Donin, répondit Fitermann. Anne-Marie Donin de Clavière. Elle travaille avec nous depuis toujours. Elle se chargera des bébés.

Lucie eut le dernier mot :

— Elle aura des espèces, n'est-ce pas ?

Lucie se rendit à la ferme des Garcin. Elle devait préparer l'entrevue et bichonner les bébés.

Lorsqu'elle arriva, Paul était aux champs. La

Marie, son épouse, la reçut froidement. Pas question de rendre les deux bébés. Elle s'était attachée à eux. Surtout à Élie. Entre elle et le petit, une histoire d'amour était née. C'était venu soudainement. De sa chambre, elle l'avait entendu gémir. Il y avait eu un incroyable remue-ménage à l'étable. Les vaches s'étaient mises de la partie. Elles meuglaient. Elles tapaient des sabots.

Lampe-tempête à la main, Marie s'était précipitée.

Élie était tombé de la mangeoire qui lui servait de berceau. Son frère, bien calé dans la paille, ressemblait au petit Jésus.

La Marie prit le gamin dans ses bras et le consola.

La poitrine de la Marie faisait comme un nid. C'était doux et chaud.

Instinctivement, il s'était mis à chercher le mamelon. La Marie n'avait pas de lait. Elle se laissa tout de même téter. Il l'avait sucé au sang. Il en avait eu plein la bouche, plein son maillot. Elle s'était dit que ça ferait un lien entre elle et lui.

Quand elle l'avait reposé dans la mangeoire, il s'était remis à chialer. Et les vaches à meugler. Elle prit le gosse avec elle et le déposa dans son lit.

Le Paul s'était réveillé.

Elle se méfiait de sa réaction. Elle lui mit la main sur la bouche et dit :

— Je ne sais pas ce que tu en penses, Paul, mais celui-là, je ne le rendrai pas à ta garce de cousine.

Sous les doigts qui le bâillonnaient gentiment, il marmonna :

— Faut que je te dise une chose, Marie, les petits, ils sont juifs !

— Comment ça, ils sont juifs ? Et comment tu le sais ?

— Lucie m'a mis dans le coup. Elle les vend !

La Marie marqua la surprise mais ne désarma pas.

— Elle les vend, que tu dis. Eh bien, si c'est vrai, je lui achète celui-là !

— Tu achèterais un Juif, toi ? Et avec quoi ?

— Et pourquoi pas ? Avant d'être juif, c'est un enfant, non ?

Elle montra son téton. Une traînée rouge s'en échappait encore. Elle dit :

— De toute façon, il a déjà un peu de mon sang.

Elle ajouta :

— Ta cousine, j'en suis sûre, elle me l'échangerait contre des poulets !

— Tu veux dire contre un cochon ! Et encore, tu serais loin du compte...

Cette fois, la Marie et la Lucie se prirent le bec. Pas question d'échange. Pas question de rendre l'enfant. On se jeta des injures, des mots dégueulasses. Lorsque les mots ne blessèrent plus assez, les deux femmes en vinrent aux mains. Plus forte, mieux charpentée, la Marie dérouilla la Lucie.

Couverte de griffures, les yeux au beurre noir,

Lucie battit en retraite vers Bernay. Elle emportait David. Elle jurait ses grands dieux que la Marie allait le lui payer très cher.

Le bébé n'aimait pas ce qu'on lui faisait. Pour la première fois, on le séparait de son frère jumeau. Il n'avait que treize mois. Et pourtant, l'instinct parlait. C'était comme si on l'avait amputé d'une partie de lui-même.

Au même moment, Élie réagissait de la même façon. La Marie s'en désespérait. Elle pensa courir derrière Lucie. Elle était prête à rendre le gosse. Elle avait déjà eu deux veaux de la même portée ainsi qu'un doublé de poulains. Elle savait combien ces êtres-là sont attachés l'un à l'autre, à croire qu'ils n'ont qu'un seul cerveau, un seul cœur pour les deux.

Elle résista. Elle se dit que le petit allait finir par s'habituer à elle...

L'intermédiaire arriva entre 11 heures et midi. Comme convenu, elle venait prendre livraison des jumeaux contre la somme de 120 000 francs. C'était beaucoup. Avec cet argent, Lucie pouvait se payer la reine des voitures, une traction avant 15 chevaux de chez Citroën. Il lui resterait encore de quoi acheter un peu plus d'une tonne de pain à 3,70 francs le kilo. C'était une envie comme une autre. Sauf que l'essence et les tickets d'alimentation manquaient. Plus probablement, Lucie garderait son magot pour des jours meilleurs.

L'intermédiaire en imposait. C'était une grande dame. De la graine d'aristocrate. Ça se voyait à l'allure, à l'éducation, à la manière de s'exprimer et de s'habiller.

La quarantaine, Anne-Marie Donin de Clavière cachait un caractère entier sous une joyeuse humeur. Son sourire trompait. On la devinait facile, prête à composer. Il n'en était rien. Elle jugeait les gens à leur visage, à leur air, à leur regard. Elle les mettait à jour et trouvait la faille.

La figure de Lucie et l'hypocrisie que son comportement trahissait ne laissaient aucun doute sur le personnage qu'elle découvrait. C'était quelqu'un de veule et de sournois qui ne voyait pas plus loin que ses besoins immédiats et s'accommodait du monde jusque dans ses pires moments : l'Occupation, les privations ne la touchaient pas plus que cela. Elle voyait les occupants d'un bon œil. Elle était favorable aux rafles de Juifs et de communistes. Quant aux privations, elle en faisait ses choux gras. À force de faire du marché noir dans un pays où tout manquait et où tout s'achetait, on finissait par vendre son âme. C'était le cas de Lucie. Elle vendait âme et bébés dans le même lot.

Lucie tombait mal. Anne-Marie Donin n'était pas née de la dernière pluie ni de l'ultime rosée. Dès les premières persécutions, elle prit parti et s'engagea aux côtés des plus faibles. Les plus faibles, bien entendu, c'étaient les Juifs. On les arrêtait par milliers et on les entassait, en attendant le pire, dans des camps gardés par des gendarmes français. Là, c'était l'angoisse, l'incertitude, la débrouille, la vermine, le chacun-pour-soi. Des enfants égarés et apeurés. Des parents désemparés, des étrangers, de bons citoyens, des serviteurs de la patrie. La plupart croyaient en la France. Ils gardaient espoir. Certains d'entre eux faisaient toujours confiance au Maréchal.

Beaucoup de lettres de Drancy, de Pithiviers, de Gurs, de Beaune-la-Rolande, de Compiègne. Chaque missive envoyée laissait supposer que prisonniers et gardiens s'entendaient parfois pour un timbre, pour une enveloppe, pour une sucette, une bouchée de pain, un message oral à faire passer.

De Drancy, pas une seule lettre des Rosenweig. Juste une voix anonyme au téléphone. Peut-être celle d'un gendarme ou d'un membre de la Croix-Rouge. Cette voix avait demandé à Rosa de s'occuper des jumeaux Rosenweig jusqu'au retour de leurs parents. Rosa avait écouté. Et Rosa s'était tue.

Vint encore un autre signe. Des coups frappés à sa porte la réveillèrent. Il était 23 heures. Rosa s'approcha mais n'osa pas ouvrir. C'était une femme. Elle avait une voix chaude et distinguée. Elle disait : « J'arrive de Drancy. Chaïm et Sarah Rosenweig ont été emmenés ailleurs. Je les ai accompagnés jusqu'à leur wagon. Il y avait déjà trop de monde là-dedans. Tous, bien trop tassés. Les policiers n'arrivaient pas à faire coulisser la porte sur son rail. Ça bloquait à cause d'un homme de forte corpulence. Il me regardait fixement. Il voulait peut-être me parler. Les policiers poussaient et tapaient sur son ventre. Le panneau ne se refermait toujours pas. Ils ont fait descendre l'homme et l'ont conduit dans un autre wagon. Je me suis approchée. Je lui ai donné à boire. Il voulait dire quelque chose et n'y arrivait pas. Les lèvres étaient fendues, le nez cassé.

J'ai insisté. Il a prononcé quelques mots. Voilà. C'est pourquoi je suis venue. »

Rosa ne bougea pas. Elle flairait un piège. Elle attendit que la femme se taise. Elle entendait la respiration saccadée. L'inconnue avait dû monter les escaliers quatre à quatre. Pourquoi si vite ? Rien ne pressait.

Rosa préféra mentir. Elle dit :

— Vous arrivez trop tard. Les enfants Rosenweig ont été arrêtés en août dernier.

— Mon Dieu ! s'exclama la voix derrière la porte. Quelle horrible époque nous vivons !

La femme s'en était allée lentement dans les escaliers.

Rosa se trompait peut-être. Elle hésita. Elle faillit ouvrir et rappeler la dame.

Par son action en faveur des Juifs persécutés, Anne-Marie Donin pensait racheter l'ignoble conduite de son ancêtre Nicolas Donin. Le « tombeur » du Talmud avait déshonoré la famille. Depuis, génération après génération, excepté quelques irréductibles, les Donin essayaient de redorer leur image. L'un d'eux s'illustra en plaidant contre les Maillotins, qui mirent à sac le quartier juif du Marais sous Charles VI. Un autre Donin tenta de sauver du bûcher Léonora Galigaï, la veuve de Concino Concini. Il prévint Marie de Médicis, alors exilée dans son château de Blois, de l'injuste et méchant procès que l'on instruisait à Paris contre la Juive italienne, sa protégée de toujours.

Déchue, la reine mère envoya un messager auprès de Louis XIII. En vain.

Haineux envers sa génitrice et plus encore contre cette sorcière italienne experte en sortilèges amoureux, le jeune roi refusa la grâce.

On retrouve un autre Donin, éditorialiste à la *Tribune du Nord*. Il adhérait aux thèses d'Émile Zola sur l'importance des déterminations matérielles dans le cortège des passions humaines. Durant l'affaire Dreyfus, cet Alphonse Donin, tout comme Zola, prit parti pour l'officier et fustigea les antisémites de droite qui voyaient en Dreyfus un traître à la solde de l'Allemagne.

Anne-Marie Donin de Clavière, veuve d'un capitaine au long cours, était dans la lignée. Dès la promulgation des lois antijuives par le gouvernement de Vichy, elle contacta la Fondation Rothschild par l'intermédiaire d'un ami chirurgien exerçant à l'hôpital du même nom. Tout de suite, elle fit jouer ses relations haut placées. Elle obtint passeports et sauf-conduits. Grâce à ses interventions répétées, nombre de persécutés réussirent à gagner le Portugal d'où ils embarquèrent pour les Amériques.

Avec la nomination de Darquier de Pellepoix aux Affaires juives, les choses devinrent de plus en plus compliquées.

Au printemps 1942, Anne-Marie Donin, sollicitée par une organisation sioniste, mit sa propriété de Fortin, une ancienne bastide relativement isolée, à la disposition de l'organisation spécialisée dans le sauvetage des orphelins.

La bastide du Fortin, qu'elle n'habitait pas alors, abritait déjà une vingtaine d'enfants quand survint à Paris la grande rafle des 16 et 17 juillet 1942.

Dans la région de Cavaillon, c'était plus tranquille. Néanmoins, suspectée par ses anciennes relations d'en faire trop pour les étrangers, Anne-Marie Donin n'était pas à l'abri d'une dénonciation.

Elle s'en moquait. Elle se disait prête à payer la dette de son aïeul.

Cette obsession du rachat la poussa vers l'UGIF, qu'elle ne soupçonnait pas encore de double stratégie.

Catholique pratiquante, dame d'honneur et de cœur, Anne-Marie Donin séduisit André Baur, vice-président de l'association, ainsi que la plupart des membres de la coordination juive. Parmi ceux-ci, Norbert Fitermann, dit Saint-Galmier.

Au lendemain de la grande rafle, Fitermann, catastrophé, eut l'idée d'envoyer Anne-Marie Donin en tournée d'inspection dans les divers camps d'internement. Elle avait le profil qu'il fallait pour passer partout. Elle rapporterait de ces camps un témoignage circonstancié. C'était une mission quelque peu risquée, car aucun papier officiel ne mandatait la représentante de l'UGIF et n'accréditait sa mission.

Anne-Marie Donin y alla au culot. Portant un faux insigne de la Croix-Rouge, elle partit effectivement en tournée dans ce qu'on appelait déjà l'antichambre de l'enfer.

À sa manière, et toutes proportions gardées, Anne-Marie Donin devenait une sorte d'Abraham Seltzer. Elle aidait de son mieux les déshérités. Elle distribuait des colis, de l'argent. Elle donnait surtout, de la France, une image amicale. Elle écoutait les doléances. Elle consolait. Elle recueillait les confidences.

Tout juste deux mois après son intervention ratée rue des Rosiers, l'existence lui offrait en retour un beau cadeau. Elle loua le hasard. Il n'y avait pas meilleur romancier sur terre. C'était l'écrivain du fantastique. Il jonglait avec les êtres dans le grand labyrinthe de la vie. Il les rapprochait. Il leur désignait la sortie. Il organisait les rencontres. Il l'avait amenée chez Rosa Zelasny. C'était un appât, une première page à rédiger.

À présent, le hasard ouvrait un autre chapitre. Lui seul en connaissait la teneur.

Anne-Marie Donin entra dans la chambre où reposait le bébé. Il couinait. Il était grognon. Il battait des jambes et des bras d'une manière désordonnée.

Elle se pencha aimablement sur lui. Il se tut et la regarda avec intérêt. Il cherchait. Il découvrait un visage nouveau. Et tout à coup, comme cela, à l'instinct, il se mit à gazouiller. On aurait dit qu'il racontait son histoire. C'était un vrai bonheur. À sa mine, à son allant, on devinait le bambin en bonne santé.

La dame défit ses langes et vérifia qu'il était bien circoncis.

En bonne catholique, elle n'approuvait pas ce rituel. Par les temps qui couraient, il s'agissait d'un marquage terriblement dangereux.

Elle remit les langes convenablement et demanda :

— Je suppose que votre cousin va m'apporter le petit frère d'un moment à l'autre ?

Le regard était doux, presque maternel. Elle avait récemment vu tant d'horreurs, dans ces camps où il ne faisait pas bon vivre, que cette chambre d'hôtel de Bernay lui apparaissait aujourd'hui comme un havre de paix.

Mise en confiance, Lucie avoua l'engouement de Marie Garcin pour le petit frère. Elle déblatéra et dit pis que pendre de sa cousine : une salope, une souillon, une incapable. On ne pouvait lui laisser le gosse. À la ferme, c'était pourriture et compagnie. En réalité, la Marie faisait tout cela pour toucher la prime.

— Quelle prime ? s'étonna ingénument Anne-Marie Donin.

L'autre resta bouche bée. Elle crut qu'on allait la rouler.

Sans se départir de son air serein et quelque peu supérieur, l'intermédiaire reprit :

— Moi, je n'appelle pas ça une prime, mais du vol !

S'attendant à un mauvais geste de Lucie, elle ajouta aussitôt :

— Rassurez-vous, j'ai l'argent.

Le visage de Lucie s'éclaira :

— Pour les deux, j'espère ! s'écria la voleuse.

— Pour les deux, naturellement, répondit Anne-Marie Donin. Mais je dois vous dire une chose, ma petite. Il vous faudra garder le silence sur cette transaction entre l'UGIF et vous-même. Personne ne doit être mis au courant. Nul ne doit savoir que les bébés m'ont été confiés. Il en va de leur vie comme de notre sécurité à toutes les deux.

Elle s'interrompit et dévisagea sans complaisance la virago. Elle la jugeait capable de mettre à exécution un sale coup contre la ferme de son cousin.

Lucie ne soutint pas son regard. Elle baissa la tête. On sentait sa gêne et sa fourberie. D'une voix qui se voulait assurée, elle dit :

— Payez-moi maintenant, et je vous ramène l'autre gosse dans l'heure qui suit.

Anne-Marie Donin ouvrit son sac à main et compta 60 000 francs :

— Prenez toujours ça. Et maintenant, en route, on file à la ferme !

L'intermédiaire s'empara de l'enfant.

Le petit cessa ses pleurs. Il faisait confiance à la dame. Il fixa les boucles d'oreilles, des brillants qui étincelaient, et émit soudain des areu ! areu ! qu'il ponctua d'un ravissant sourire.

Lucie ramassa les billets, une sacrée liasse, et les fourra dans son décolleté. Elle avait l'argent. Curieusement, elle se sentait dépossédée.

Rageuse, elle dit :

— Vous payez l'hôtel, n'est-ce pas ?

Anne-Marie Donin ne répondit pas. Elle communiait avec l'enfant. Ils se plaisaient. Le petit parlait d'avenir.

La dame régla l'hôtelier.

Une Delage noire, modèle 1939, attendait devant l'établissement. Le chauffeur en descendit et ouvrit la portière arrière. Les deux femmes s'engouffrèrent dans la berline. Une troisième personne, Bernadette, la dame de compagnie, s'y trouvait. Elle se saisit délicatement du bébé. Elle tenait un biberon chaud à la main. D'un geste de professionnelle, elle aspira les quelques gouttes renversées à l'arrière de son poignet et offrit la tétine aux lèvres goulues de l'enfant.

Chapitre V

David écoutait Charme. Il n'en revenait pas. Tant de détails, de précisions sur cette petite enfance dont il ignorait tout, cela le stupéfiait. C'était le résultat d'une double enquête. Celle de Charme, bien sûr, mais encore celle que mena Perla Zelasny au lendemain de la guerre.

Femme de chambre à l'hôtel *Négresco*, Perla répondit à l'annonce passée dans *Nice Matin*. Un cabinet d'avocats, engagés par Abraham Seltzer, recueillait de vive voix les témoignages. Il les envoyait ensuite tantôt rue des Rosiers, chez les Delestaing, tantôt directement à l'adresse de New York que lui avait laissée le géant polonais. On sait que les révélations de Perla restèrent lettre morte durant toutes les années australiennes de Seltzer. Celui-ci n'en prit connaissance qu'à son retour de Melbourne. Il était vieux, fatigué. Il renouait néanmoins avec son passé. Les fantômes l'obsédaient à nouveau. Parmi les visages amis jamais revenus des camps de la mort, celui de Chaïm Rosenweig se détachait particulièrement.

Il en va des promesses comme il en va des étoiles. Elles s'éteignent, mais elles continuent à briller durant des éternités. Elles occupent l'esprit, la conscience. Un jour, enfin, il faut extirper cette présence et libérer l'ombre en même temps que la lumière.

Au lendemain de l'arrestation de Rosa Zelasny, Perla, avertie par Lucie du sort fait à sa sœur, vint s'occuper des jumeaux cachés dans la soupente. Elle le fit par solidarité et profita avec excès des pièces d'or camouflées dans la tringle de la cuisinière. Elle s'acheta des habits chic, des chaussures à semelles compensées, des parfums de chez Élisabeth Arden, des bijoux Burma.

Il y avait de quoi étonner son marlou de mari. Celui-ci suspecta l'adultère. Elle ne pouvait s'expliquer. Il trafiquait avec la Milice. Il aurait donné les petits.

Il la roua de coups et l'enferma dans la cave de son pavillon de Pontoise. Elle y resta, pauvre chose malade, jusqu'à la Libération.

À peine remise de son inhumaine captivité, Perla se rendit rue des Rosiers. Elle pensait prendre des nouvelles des enfants. Peut-être étaient-ils toujours chez sa sœur. Peut-être qu'une bonne âme les avait recueillis.

Lucie l'aperçut au moment où elle entrait dans l'immeuble. Que lui était-il arrivé ? D'où venait-elle ? De prison, des camps ? Pourquoi ces marques, ces taches, cette maigreur ?

Paris n'était plus occupé. Certes, la guerre continuait toujours du côté de l'Atlantique et des Ardennes, mais ça sentait la fin. Il n'y en avait plus pour longtemps. Paris respirait. La rue des Rosiers faisait de même. L'espoir reprenait le dessus. Pourtant, il manquait du monde, beaucoup de monde. Plein d'enfants dont on était sans nouvelles et qu'on supposait morts. Ça faisait le vide dans la rue. Ça faisait aussi vide en soi.

Le vide poussa Perla aux confidences. Elle parla des enfants Rosenweig, dont Rosa s'était occupée après l'arrestation des parents. Elle venait voir si, des fois, ils n'y seraient pas encore. Elle pleurait. Elle était secouée par les sanglots.

« Tu ne peux pas monter, avait dit Lucie, l'appartement de ta sœur est occupé par les Delestaing. Ils se sont installés ici quelques mois après la rafle. De toute façon, ne t'en fais pas pour les jumeaux, je m'en suis occupée un moment. Et puis, comme ça me prenait tout mon temps, je les ai confiés à l'UGIF. Ils les ont placés chez des gens, en zone libre. »

Perla se sentait revivre. Les jumeaux étaient saufs. Quel âge ça leur ferait maintenant ? Dans les trois ans et demi. Ah ! comme tout cela lui avait paru interminable...

Les deux femmes s'étaient revues. Elles avaient fait ami-ami. Chaque fois, elles parlaient des jumeaux. Et chaque fois, pour des raisons différentes, elles étalaient leur chagrin.

Un soir, après avoir bu du bourbon plus que d'habitude, Lucie craqua. Elle déballa son sac, ses torts, ses raisons, ses crasses, ses veuleries, ses tricheries. Tout ce pour quoi elle buvait maintenant. Tout ce pour quoi elle ne parvenait plus à dormir.

Perla l'avait écoutée. Elle était à la fois écœurée et fascinée. Quand elle eut tout appris de Lucie, tout su de ses trafics, elle quitta Paris et s'installa à Nice. Elle était née dans cette ville trente-trois ans plus tôt.

Elle trouva une place de femme de chambre au *Négresco*. Elle aimait bien cet hôtel. Durant ses heures de repos, elle s'enfermait dans son logement de service. Là, sur un gros cahier, elle relatait ce que l'autre lui avait raconté. Elle exorcisait. Ça lui faisait du bien. Elle pensait aux jumeaux. Elle se disait qu'avec un peu de chance, elle finirait peut-être par rencontrer celui qui avait sans doute survécu.

Une fois, ce fut presque le cas. Elle tomba sur une annonce de *Nice Matin* daté du 5 juin 1953. On recherchait des personnes susceptibles de fournir des informations concernant les enfants Rosenweig, prénommés Élie et David, disparus de leur domicile parisien en août ou septembre 1942. On promettait une grosse récompense. On donnait l'adresse d'un cabinet d'avocats, place Masséna.

1953. Bon sang, ça lui ferait douze ans !

Perla ne répondit pas tout de suite. Elle n'arrivait pas à se décider. Voir un avocat ne lui disait rien. Elle préférait continuer à rédiger ce qu'elle avait appris par Lucie sur les enfants Rosenweig. C'était pénible à mettre noir sur blanc. Ça serait encore plus difficile, pensait-elle, de raconter toutes ces choses à un inconnu.

Quand elle eut bouclé l'histoire et refermé la grosse enveloppe de vingt-quatre pages, Perla se rendit place Masséna. Elle déposa son courrier dans la boîte aux lettres de l'avocat. Au dos de l'enveloppe, il y avait son nom et son adresse à elle.

Ça faisait un sacré poids en moins.

Au retour, elle se sentait toute légère. Pour un peu, elle se serait mise à chanter *Y a d'la joie*, la chanson de Trénet que des peintres en bâtiment sifflotaient.

Saisie par l'allégresse, elle marchait vite sans prêter attention à la circulation. Pourtant, rien ne la pressait. C'était comme cela. Infailliblement, elle allait vers son destin. Quand elle arriva en vue du *Négresco*, un caprice, elle eut l'envie soudaine de traverser la promenade des Anglais et de continuer côté mer. Elle délaissa le passage pour piétons et s'engagea résolument dans la large avenue. Une voiture l'évita de justesse. Une autre la klaxonna rageusement. Elle fit un écart et vit le bus arriver sur elle.

Le chauffeur pila. Trop tard...

— Pauvre petite Perla, soupira David.

Il massa les reins de Charme. Elle se plaignait

d'un lumbago. Il avait le don, le fluide. Il soulagea aussi les trapèzes, les cervicales.

— Ça me fait du bien, murmura Charme. Comment fais-tu pour connaître mes points sensibles ?

— Je fais comme s'il s'agissait des miens, répondit David. J'ai porté le poids du monde pendant des années sans même m'en rendre compte. Ça te marque les épaules. Pour ce qui est du dos, tout est lié, tout se tient. C'est comme dans notre histoire. Tu mets le doigt sur une personne, et brusquement, toutes les autres apparaissent.

Elle dit :

— On devrait appeler Noam. Il doit être revenu d'Australie.

— Revenu seul, tu crois ?

— Probablement, oui. Eva est bien trop légère pour lui. Il te ressemble. Il lui faut du répondant, de la consistance.

Il rigola et dit :

— De la consistance, tu parles ! J'ai vécu avec une ombre durant des années, et ça me convenait parfaitement.

— Arrête de te déprécier, Raymond. Tu sais très bien que ce n'était pas une vie ! Pas la tienne, en tout cas.

Il en convint :

— Tu as sans doute raison. Ça n'était pas moi non plus.

Il continua son massage et reprit :

— Tu ne crains pas un retour de flamme ?

Elle se mit sur le côté et le toisa bizarrement :

— C'est-à-dire ?

— C'est-à-dire que Noam pourrait revenir vers toi.

Elle s'exclama :

— Mais il n'est jamais parti de moi ! Lui et toi, vous ne faites qu'un seul et même être. Vous êtes, tous les deux, le jumeau survivant. Vous m'habitez.

David se doutait de la réponse. Ils avaient déjà évoqué la situation. Juste pour voir, il demanda :

— Si je comprends bien, tu pourrais nous interchanger ?

— Sans problème, ne l'ai-je pas déjà fait ?

Mi-sérieuse, elle ajouta :

— Je pourrais même vous partager.

— Tu veux dire : te partager ?

Ils en restèrent là. Le jeu n'amusait plus Raymond.

Il couvrit le dos de Charme et appela Noam.

Son fils était effectivement revenu d'Australie. Oui, il était seul. C'était mieux ainsi. Eva et lui n'avaient pas grand-chose en commun. Côté sexe, ce n'était pas cela non plus. C'est que le sexe a besoin de nourriture spirituelle. Rien n'est plus bête qu'une libido privée de mental. Enfin, pour l'heure, Noam avait d'autres préoccupations. Il se remettait aux roses. C'était son métier, sa passion. Un peu crâneur, il ajouta :

— Tu sais, c'est mon devoir de mémoire.

— À propos de mémoire, enchaîna Raymond, tu devrais créer la Perla.

— La Perla ! rétorqua Noam. Mais voyons, Papa, elle est en chantier. J'ai croisé la princesse de Nassau, un hybride de Moschata, avec une Aurore Sand, un hybride de thé. On va voir ce que cela va donner !

Raymond n'y connaissait pas grand-chose. Comme tout jardinier, il avait des notions d'horticulture, des goûts et des recettes personnels. En création, il savait tout juste bouturer un arbre fruitier.

Son fils l'épatait. Mais d'où tenait-il ce génie ? Avait-il eu, jadis, un ancêtre hébreu, grand sorcier en plantes, au service du roi Salomon ?

Il dit :

— Ce n'est pas tout ! Je viens d'apprendre ce qu'a fait pour moi Anne-Marie Donin de Clavière. Il ne faudrait pas l'oublier.

— Voyons, Papa, la Donin est en train de pousser. J'ai même bêché tout autour ce matin.

Raymond l'interrompit :

— Je t'appelle sur ton mobile. Je ne savais pas que tu étais à Provins. Excuse-moi, fiston. Tu disais ?

— Je disais que la Donin est un croisement de Celesiana, un rosier de Cel, d'origine Damasquina. Il donne des fleurs aristocratiques, des mi-doubles délicatement parfumées. J'ai charpenté ce vieil oriental d'un Yolande d'Aragon, un Portland puissant et terriblement têtu. C'est un rosier qui en veut. Il s'accroche à la vie et se défend épines et pétales contre les tempêtes et les sécheresses.

Tout à coup, il demanda :

— Et vous, ça va comment, c'est toujours le grand amour ?

— Ça va, répondit Raymond avec pudeur. Peu à peu, on comble le gouffre.

Il ajouta :

— Tu viens nous voir bientôt ?

— Et pourquoi ne viendriez-vous pas à Paris ? Tu sais, il y a de la place rue des Rosiers.

— Ça me plairait bien, fiston, seulement voilà, je ne peux pas abandonner la propriété.

— C'est effectivement très contraignant. On n'aurait pas dû accepter cette clause du testament. Pourquoi ne prendrais-tu pas quelqu'un pour t'aider ?

— J'ai déjà Charme.

— Non, je parle d'un vrai ouvrier agricole. En s'y mettant tous, on aurait de quoi le payer.

Raymond prit le téléphone dans l'autre main. Son oreille gauche était meilleure. Il dit :

— Tu oublies ma fonction principale. Le parc, la piscine, les champs, Abraham s'en fichait. En réalité, je suis là pour garder les morts.

Il partit d'un petit rire et poursuivit :

— Vois-tu, Noam, je suis le croque-mort de mon frère...

Chapitre VI

Marie Garcin refusa de rendre l'enfant. Il serait mieux chez elle que n'importe où ailleurs. Elle supplia la dame de le lui laisser. Entre elle et le petit, il y avait quelque chose d'inexplicable. Elle ne trouvait pas de mots assez forts pour exprimer son sentiment. Elle était touchante, sincère. Et puis, son mari la soutenait. Au début, il n'était pas très chaud. Maintenant, il s'y faisait. Il n'y avait pas tellement de bonheur. Alors pourquoi refuser celui-ci à Marie ?

Anne-Marie Donin de Clavière en convint. Elle donna son accord de principe. Pour le reste, c'était à l'UGIF de décider. L'UGIF suivrait l'enfant. Dans le meilleur des cas, il serait rendu à ses parents. Dans le moins bon, on pourrait envisager une adoption.

Lucie enrageait. Cet arrangement à l'amiable lui faisait perdre 60 000 francs. Elle prit l'intermédiaire à part et réclama son dû. Elle argumenta et se fit mousser. Non seulement elle avait sauvé du désastre ces deux pauvres malheureux, mais encore les avait-elle placés chez son cousin. Élie déjà casé, c'était du dérangement en moins pour l'UGIF, des dépenses épargnées, du temps et des voyages économisés.

Anne-Marie Donin admit que le placement d'Élie dans cette ferme amie méritait une récompense. En conséquence, elle gratifia les Garcin des 60 000 francs qui devaient revenir normalement à Lucie.

Folle furieuse, Lucie menaça la dame de dénoncer tout le monde aux Allemands.

Le cousin Paul se fâcha tout rouge. C'était un sanguin, un costaud. Il attrapa la Lucie par le bras et la gifla violemment.

Il était menaçant :

— Dénonce-nous et tu signes ton arrêt de mort !

Les jumeaux se fichaient éperdument des voix qu'ils entendaient. Ils étaient à nouveau réunis, côte à côte sur le lit conjugal des Garcin. Ils respiraient au même rythme la joie des retrouvailles. Ça gigotait, ça gazouillait.

On se sépara dans le désarroi. Les Garcin, avec un pincement au cœur. La dame, avec le sentiment d'avoir malgré tout commis une injustice. Lucie, avec l'impatience de la vengeance. Pour la première fois depuis l'instauration du rationnement, elle repartait de la ferme les mains vides.

Elle regarda s'éloigner la Delage qui emportait David. Pour celui-là, elle avait touché. Pour l'autre, c'était sûr, elle allait les faire payer chèrement !

Au retour, à peine débarquée de la gare Montparnasse, Lucie fila tout droit chez Noël Boufardoux. Elle avait le rouge aux joues, la haine diffuse partout en elle.

Elle attendit. Il terminait de peigner un marlou dans son genre avec une touche de Gomina.

Le type une fois parti, elle raconta ses mésaventures.

Il la traita de tous les noms. Mais comment pouvait-on être aussi con pour se risquer toute seule dans pareille aventure ? Pourquoi ne pas en avoir parlé à sa mère ?

Sa colère n'était pas feinte. Avec les coups qu'il distribuait maintenant à tort et à travers, montait l'excitation. Cette pitoyable pute le faisait bander.

En cinq sec, il ferma la boutique et tira le rideau de fer.

— À poil, salope ! Je vais t'apprendre à doubler ma mère.

— J'ai doublé personne, cria-t-elle. J'ai agi toute seule, c'est tout.

Il gueula :

— Non seulement tu as trahi ma mère, mais tu m'as laissé sur la touche !

Il lui envoya une autre paire de tartes et ôta sa ceinture :

— À poil, j'ai dit !

Lucie se déloqua. Elle avait peur de lui. Et dans sa peur, il l'excitait aussi.

Elle reçut les premiers coups de ceinture comme une punition. Les autres, comme un plaisir.

Il la pénétra méchamment. Quand il eut jeté sa gourme, c'est elle qui prit la ceinture. Elle lui cingla les fesses.

Elle lui en donna jusqu'à ce qu'il la supplie, à genoux, d'arrêter.

Vers 21 heures, tout le monde se retrouva rue de Rivoli.

La loge n'était pas grande, aussi y était-on serré. Il y avait la grosse Marie-Louise Boufardoux, Auguste, son mari, un ancien pompier, Noël Boufardoux, assis sur une fesse, et Lucie Garcin, la maîtresse occasionnelle du fils.

Tout ce beau monde discutait devant une tasse de chicorée arrosée modérément d'un calva de Bernay.

Tout y passa : stratégie guerrière, vengeance de derrière les fagots, dénonciation, meurtre, rapt.

Vers 22 heures, on savait que dénoncer deux Normands et un nourrisson juif ne rapporterait que des clopinettes. La même chose pour le Juif de l'UGIF. De toute façon, celui-ci était certainement protégé dans la mesure où il travaillait plus ou moins pour les Boches...

Aux alentours de minuit, la proposition du coiffeur fit l'unanimité. Bien sûr, tout le monde y avait mis un peu du sien. Surtout Lucie, dont l'idée avait été reprise, peaufinée, par le fils Boufardoux.

Celui-ci coiffait Mme Monticourt, une bourgeoise du faubourg Saint-Germain, qui se désolait de sa stérilité.

De permanente en permanente, elle s'était confiée et reconfiée. Noël connaissait par cœur la vie de sa cliente. Oh, rien de scandaleux ! Elle entretenait une liaison avec le meilleur ami de son mari, juste pour voir si la stérilité dont elle se faisait tout un monde ne serait pas le fait d'Albert Monticourt. Eh bien, non ! Elle ne prit pas davantage de précautions avec l'amant qu'avec le mari, au bout de six mois, et comme rien ne venait modifier le cours des choses, elle cessa la liaison.

Petite femme modèle, Armelle Monticourt persuada son mari que l'adoption d'un bambin mettrait du soleil dans leur vie.

Ayant vu Armelle récemment, le coiffeur était sûr de son coup. Jusqu'alors, elle n'avait rien trouvé de bien satisfaisant : un gamin d'origine manouche et un petit Juif aux oreilles décollées. Elle n'était pas contre les étrangers, à condition qu'ils aient la peau blanche et un visage aimable.

Pour le lui avoir entendu dire, Noël savait que sa cliente était prête à raquer 20 000 francs pour l'acquisition d'un bébé sans tare.

— Si elle est prête à se fendre de 20 000 balles pour un moutard, s'exclama la Boufardoux, c'est que l'on peut lui en réclamer 25 sans problème.

Quand ils eurent l'accord de la bourgeoise, Noël et Lucie élaborèrent leur plan dans les moindres détails. Cela devait marcher comme sur des roulettes.

Lucie ne quitterait pas le quartier du Marais. Elle se montrerait. Elle discuterait avec les commerçants. Mieux encore, au cours de la journée, elle s'arrangerait pour créer un ou deux incidents, lesquels, si besoin, lui fourniraient de bons alibis.

Noël se chargerait de tout. Il irait d'abord repérer les lieux grâce aux indications précises de Lucie. Pour le rapt, et contre une somme relativement modeste incluant le plein de carburant, un ami, lui-même coiffeur, prêterait sa traction, une 11 CV au moteur refait à neuf.

On n'en était pas là. Il fallait d'abord faire un voyage de reconnaissance. Noël ferma boutique et partit en train jusqu'à Bernay. En temps normal, on atteignait la ville en trois heures, y compris les changements. En temps de guerre, contrôles et voies sabotées, il fallait compter entre six et sept heures.

De Bernay, on pouvait accéder à la Louvière en car ou bien prendre la carriole-stop. Ça ne faisait que six kilomètres.

Vêtu genre journalier, baluchon sur l'épaule, Noël ne risquait pas d'être remarqué. Peu de prisonniers étaient alors revenus des stalags, et la campagne manquait de bras. Au moment des foins, des moissons, des battages et des labours, des journaliers, pas toujours des professionnels, offraient leurs services contre nourriture et hébergement.

Tout se déroula parfaitement. Tandis que les Garcin, suivis de leur chien, menaient le troupeau au pré, Noël prit ses repères. Il grimpa même au premier étage en s'aidant d'une gouttière et aperçut l'enfant qui reposait dans son berceau.

Pour un peu, il aurait pu casser les carreaux et s'emparer du bébé sur-le-champ. Mais comment le ramener ? Comment traverser le village et se montrer dans un train en compagnie d'un petit chialeur ?

On choisit d'opérer un dimanche. Noël Boufardoux agirait pendant la messe. Les Garcin étaient croyants. Mis à part le curé, personne ne savait qu'un enfant juif se cachait à la ferme.

Parti la veille en traction, plaques d'immatriculation camouflées, Boufardoux attendit jusqu'au lendemain dans un petit bois. Il y passa la nuit.

Au matin, du promontoire où il se tenait, il aperçut les Garcin filer en carriole. Quelque chose le chiffonnait. Le chien, une sorte d'épagneul, rôdait dans la cour. Il prit le rasoir à manche planqué dans la boîte à gants. Il avait prévu l'arme à cet effet. Peut-être l'écraserait-il ? Ça dépendait de l'animal. Resterait-il au milieu de la cour en se contentant d'aboyer, ou bien se jetterait-il sur les roues avec hargne ?

Noël sortit du bosquet, moteur au ralenti, et gagna prudemment la petite route qui menait à la ferme. Il regarda à droite, à gauche. Aucun véhicule en vue, pas un promeneur. Son instinct lui dit qu'il pouvait y aller.

Il fit rugir la traction et fonça tout droit sur les bâtiments.

Le con de chien non seulement aboya comme un dément mais se mit à mordre le pneu avant gauche. C'était du classique.

Noël ouvrit sa vitre et laissa pendre son bras. Il stoppa net. Il tenait fermement le manche du rasoir dans son poing.

L'épagneul délaissa le pneu et se précipita sur le bras. En une fraction de seconde, le coiffeur lui trancha la gorge.

Le chien poussa un gémissement et s'éloigna en zigzaguant. Il s'écroula un peu plus loin.

Le coiffeur essuya la lame avec du papier journal et sortit de la voiture.

Il fallait faire vite.

En deux temps trois mouvements, il gagna le perron et fit sauter la porte d'entrée à coups d'épaule. Ensuite, il la remit sur ses gonds et monta à l'étage.

Il entendit les cris du gosse. Les coups frappés contre la porte l'avaient réveillé.

Le coiffeur bondit jusqu'à la chambre. Pas de sentiments. Il enroula le bébé dans ses couvertures et le prit sous le bras.

Il n'avait jamais vu un chiard aussi rouge. Le môme piquait sa rage.

Noël se souvint du conseil de Lucie. Il sortit une tétine de sa poche et la lui fourra dans la bouche. Ce fut radical.

Une fois le calme revenu, l'égorgeur entrouvrit la porte d'entrée et examina l'extérieur. L'épagneul baignait dans son propre sang. Des poulets, des pigeons picoraient dans la flaque.

Il pouvait y aller.

Il jeta le gosse à l'arrière et démarra en trombe.

Le petit tomba du siège et roula sur le plancher.

C'était pas le moment de s'arrêter. Le chauffeur savourait déjà sa victoire. Il prit du large, traversa le village à petite vitesse, passa devant l'église. Il ne s'arrêta que quelques kilomètres avant Bernay pour remettre en ordre les plaques d'immatriculation. Il en profita pour relever l'enfant et l'installer un peu mieux.

Il redémarra et prit des petites routes pour éviter le centre de Bernay. Le détour valait le coup. Il attrapa la nationale sans être inquiété.

Il avait quasiment gagné son pari. Il serait bientôt riche de 25 000 francs. Et pas question de donner quoi que ce soit à cette garce de Lucie, laquelle n'avait pas hésité à doubler Marie-Louise, sa mère.

Il était satisfait de lui. Un professionnel n'aurait pas agi mieux.

Il appuya sur le champignon. Le moteur tournait bien. La voiture était confortable, silencieuse. Elle donnait une impression de puissance.

Noël se laissa aller et fonça.

La route défilait. Tout allait pour le mieux. Il n'y avait que ce putain de gamin qui n'arrêtait pas de gueuler. Ça finissait par énerver les oreilles.

À la fin, Noël s'arrêta. Le gosse avait laissé tomber sa tétine. À peine l'eut-il en bouche, qu'il s'endormit. C'était préférable.

À présent, il régnait à bord une bonne ambiance. C'était classe, impeccable. Il ne manquait qu'une fille à peloter. Le siège avant aurait aimé une paire de fesses.

Boufardoux rêvait. Avec 25 000 francs, il pourrait faire la tournée des bordels autant qu'il le voudrait. Il aimait bien ceux de La Motte-Picquet Grenelle. De Dupleix à Pasteur, tout le long du métro aérien, ce n'était que claques sur claques, des maisons d'abattage bien sûr, mais il y avait aussi quelques établissements chic où l'on baisait dans la soie.

L'excitation déconcentra le chauffeur.

Soudain, à moins de 30 kilomètres de Paris, il loupa un virage et perdit le contrôle de la traction. La Citroën ne répondait plus. Elle zigzagua dangereusement un moment, qui parut très long, puis elle partit, toute blinde, vers le fossé.

Noël s'accrocha et pila.

Il vit le bébé passer par-dessus le siège avant et se cogner, tête la première, contre le pare-brise.

D'un geste mécanique, parce qu'il lui bouchait la vue, Noël repoussa le gosse vers l'arrière.

Occupé à maîtriser la traction qui restait malgré tout sur ses roues, il ne prêta pas attention au petit corps recroquevillé.

Agrippé au volant, la frousse au ventre, le coiffeur réussit à stabiliser le véhicule dans un dernier tête-à-queue.

Il coupa le contact et descendit.

Il était groggy. Les pneus sentaient le brûlé.

Pâle, au bord du vertige, il fit tant bien que mal le tour de la voiture. Il vérifia les ailes, les amortisseurs, les pare-chocs. Il n'y avait rien de bosselé, rien de cassé.

Il remercia le ciel. Ouf ! Il rendrait la caisse en bon état.

Quand il se sentit un peu mieux, Noël Boufardoux se préoccupa du gosse. Il ouvrit la portière arrière et le découvrit coincé sous la banquette.

La panique ! Le môme ne respirait plus. Ni battements de cœur, ni souffle. Rien qu'un petit tas de chair mochement marqué sur le haut du front d'une large ecchymose qui virait au bleu foncé.

L'égorgeur de chiens était sacrément secoué. Il essaya les gestes qui sauvent. Il massa le cœur, fit du bouche-à-bouche.

L'échec ! Impossible de réanimer l'enfant.

Impuissant, il se demandait comment on peut mourir aussi vite et aussi connement.

D'inquiétude, de rage, il se mit à secouer le petit. Il l'engueulait :

— Espèce de salopard, tu ne pouvais pas attendre un peu, non ? Dis-moi, connard, t'étais pressé d'aller rejoindre les tiens, ou quoi ? Non mais, est-ce que tu te rends compte que j'étais sur un gros coup et que ça foire à cause de toi ? Voyons, môme ! Mais qu'est-ce que je vais faire maintenant ? Hein, petit con ? Je te laisse là, au bord de la route ? Je te planque dans un fourré ? Je te traîne à travers champs ? Dis-moi, connard, t'as une réponse ?...

Effondré, le Boufardoux passa de l'insulte à la tendresse. C'était comme ça, il n'y comprenait rien lui-même :

— Non, gosse, je vais pas t'abandonner en pleine nature. Tu y es pour rien. Le salaud, c'est ma pomme. La salope, c'est la Lucie. Faut pas que tu m'en veuilles, petit. Je suis désolé. Plus pourri que moi, tu ne trouveras pas sur ta route. Dieu m'a puni. Dieu ou le Diable, je ne sais plus. C'est pareil ! Eux aussi, vois-tu, ils sont jumeaux. Paix sur toi, petit ! Que tu revives au moins en ton frère. Qu'il te garde longtemps auprès de lui.

Il s'agitait. Il regrettait sincèrement. Il installa le gosse auprès de lui, sur le siège avant.

Il prit sa petite main dans la sienne et lui dit :

— Vois-tu, Élie, j'ai réfléchi. Je sais où tu seras le mieux. Mieux que dans un bois, mieux que dans une rivière, mieux que dans la terre. Et même mieux qu'au cimetière. Ça y est, môme, t'en fais pas, je vais te ramener chez toi, rue des Rosiers.

Tu verras, personne ne viendra t'emmerder. Y a pas mieux, petit ! Y a pas mieux...

Noam ne quittait plus le presbytère de Provins. La serre comme la maison était peuplée des fantômes du passé. Il les retrouvait avec émotion. Nul ne lui en voulait de cet abandon. Certains revivaient déjà à travers leurs rosiers, des créations uniques mais pas encore homologuées. Noam verrait plus tard comment bousculer ce sacré gotha des roses refermé sur lui-même.

Avec son musée de la mémoire, l'obtenteur risquait de faire scandale. L'invention, le talent, l'originalité, la qualité exceptionnelle du rosier, c'était une chose. La juiverie dédicataire des roses, c'en était une autre.

Pour Anne-Marie Donin de Clavière, il n'y aurait aucun problème. C'était une Celesiana, une fleur céleste, composée en hommage à cette grande dame, une aristo, une résistante, une femme de cœur.

Noam savait à peu près tout du passé d'Anne-Marie Donin. On n'oserait pas inventer pareil rachat, semblable histoire.

Décidément, son père revenait de loin...

Tandis que Noël Boufardoux rentrait à Paris avec Élie, son frère David prenait la route du Midi dans la Delage de Mme Donin.

C'était un jour comme un autre. Un mardi de novembre 1942. Ce jour-là, Charme en était à peu près certaine, la famille Rosenweig voyageait au grand complet, qui par la route, qui par le rail.

D'une part, on ramenait Élie dans sa soupente. De l'autre, on éloignait David de la capitale. Au même moment, en Pologne, un convoi quittait Treblinka pour Auschwitz. Hérésie ou erreur ? On transférait les Rosenweig d'un camp de la mort à un autre.

Le gosse n'allait pas bien. Il pleurait. Il vomissait. Il en mettait partout.

Le chauffeur de la Delage râlait. C'était chaque fois la même chose. Pas un transport d'enfant sans dégueulis.

Il aérait. Il désodorisait. N'empêche, l'odeur lui restait dans les narines. Impossible de la chasser. Il vivait avec mais ne s'y habituait pas.

À l'arrière, Bernadette, la dame de compagnie, paraissait plus conciliante. Elle avait emmené ce qu'il fallait pour nettoyer et changer. Elle tenait le petit sur ses genoux, une cuvette à portée de main.

Elle en avait assez de la route. Marre des allées et venues entre la rue de Bellechasse et les environs de Cavaillon. Marre de franchir la ligne de démarcation en tremblant. Chaque fois, pourtant, on laissait passer la Delage. Le chauffeur présentait son *ausweis*, un permis spécial établi au nom d'Anne-Marie Donin de Clavière.

C'était à se demander si la propriétaire de la voiture ne jouait pas sur les deux tableaux. Il ne la condamnait pas. Elle avait sans doute ses raisons. Ça lui permettait de sauver des enfants juifs.

Mme Donin était rarement du voyage. Mieux valait ne pas trop se montrer à la bastide du Fortin. Elle n'y avait pas que des amis.

La bastide, une importante bâtisse faite de styles bâtardisés, dominait le village du Fortin. C'était un bâtiment ravagé par le mauvais goût architectural de la fin du XIXe siècle, où subsistaient néanmoins quelques éléments médiévaux.

D'en bas, la demeure impressionnait par sa sévérité. D'en haut, lorsqu'on y arrivait par la route vicinale qui enlaçait la colline, on découvrait une muraille à la chinoise au-dessus de laquelle étincelait une étrange lumière.

Quand on se rapprochait de l'enceinte, on se rendait compte que l'étrange lumière verte provenait des morceaux de bouteilles qui hérissaient le faîte du mur en son pourtour. C'était menaçant et dissuasif. Ça n'empêchait pas les promeneurs et les curieux de monter voir le phénomène aux heures où le soleil donnait de plein fouet sur les tessons.

Généralement, on ne regroupait pas plus de six ou sept enfants à la bastide. La plupart ne faisaient que transiter.

Un couple d'Espagnols s'occupait des petits pensionnaires. D'autres gens, des amis, des bénévoles, des résistants, s'efforçaient de placer les nouveaux venus dans des familles catholiques. Avec l'enfant, on fournissait, à la demande, un certificat de baptême émanant de l'évêché, et un extrait de naissance qui ne correspondait pas toujours à l'âge du gosse.

Officiellement, la bastide du Fortin, une association à but non lucratif régie par la loi de 1901, n'abritait que des orphelins français, quel que soit leur milieu social. De temps à autre, l'Assistance publique, elle-même débordée, y effectuait un contrôle de routine.

Sanitairement et humainement, c'était satisfaisant.

Dès qu'un orphelin était admis dans sa famille d'adoption, l'Assistance donnait son aval et fermait les yeux sur les irrégularités possibles.

Bien entendu, à la bastide du Fortin — et comment ne s'en douterait-on pas — se côtoyaient l'officiel et l'officieux, le légal et l'illégal.

L'illégal, c'étaient les enfants juifs, pas toujours ou pas encore orphelins, placés là par l'UGIF ou l'OSE (Organisation de secours pour l'enfance). Ils arrivaient généralement en pleine nuit, tous feux éteints. Ils étaient réceptionnés par Carmen et Pablo, un couple d'Espagnols naturalisés français en 1940 grâce aux relations d'Anne-Marie Donin.

Pablo et Carmen, la quarantaine, entièrement dévoués à leur bienfaitrice, se distinguaient aussi bien dans la légalité que dans la clandestinité. Ils passaient aisément de l'une à l'autre. Et quand il le fallait, en cas de contrôle inopiné, ils planquaient les petits parias dans un souterrain astucieusement et confortablement aménagé. Quelques enfants y séjournaient parfois une semaine ou deux. Cela évitait qu'ils soient vus et même dénoncés aux gendarmes par d'autres pensionnaires en âge de comprendre qui était autorisé à fréquenter la bastide, et qui ne l'était pas.

Tous feux éteints, la Delage déposa David et repartit aussitôt. Le chauffeur suivait à la lettre les recommandations de sa patronne.

Il était deux heures du matin.

Carmen attendait derrière la grille entrouverte. Elle prit le petit clandestin dans ses bras et le conduisit aussitôt au sous-sol.

Elle le regardait tendrement. Il la fixait intensément de ses grands yeux noirs. Il cherchait sa mère. Peut-être une voix, une odeur de peau.

Ce n'était que Carmen, une belle brune au corps sculptural. Elle ressemblait à un Maillol. Elle en avait l'ampleur, la forme.

Elle dit :

— Tu es mignon, tu me plais beaucoup. J'ai envie de te faire des bisous partout. Seulement, vois-tu, mon garçon, je vais te donner un bain avant, parce que tu sens drôlement mauvais et que c'est pas bon pour les poutous !

Elle avait un fort accent catalan, une vraie générosité dans les gestes.

Le petit écouta la voix. Il esquissa un sourire et se mit à gazouiller.

Après le bain, comme promis, Carmen l'embrassa de partout. Les poutous déclenchèrent le rire. On aurait dit que le bonheur entrait subrepticement, par effraction, dans cette vieille et austère demeure.

À la bastide, rares étaient les bébés. Il y avait surtout des garçons et des filles âgés de trois à huit ans.

Les petits Juifs, eux, on les plaçait immédiatement au souterrain. Ça évitait les questions des habitués. Il y avait toujours un ou deux gosses en bas que l'on n'arrivait pas à placer : ou bien ils étaient trop laids, ou bien ils étaient trop tristes, ou bien ils étaient trop turbulents.

La famille qui prenait l'enfant à l'essai avant son placement définitif avait le droit de le rendre. C'était rare, mais la chose arrivait. Alors, on allait le chercher et on le ramenait à la bastide.

Carmen fondait. Ça lui arrachait le cœur. Le plus dur, c'était quand l'enfant, à nouveau choisi, refusait de partir et s'accrochait désespérément à ses jupes.

Elle faisait appel à Pablo. La gorge serrée, il retirait le garçon ou la fillette des bras de Carmen. Pas la peine de résister. Pablo avait la poigne.

Une fois passée la grille, ça ne le regardait plus. Quelqu'un d'autre était là pour convoyer l'enfant.

Pablo s'efforçait de cacher sa peine. Quelquefois, il lançait un au revoir en espagnol : *« Que le vaya con Dios ! »*

David ne devait pas rester très longtemps à la bastide. Il était passé de la soupente au souterrain sans vraiment voir la lumière.

Pour ce bambin tout juste âgé de quinze mois, il y avait de la demande. Plusieurs familles s'y intéressaient. Ça n'était qu'une question de semaines et de papiers.

Pour l'heure, le petit n'avait pas de nom. C'était un anonyme parmi les anonymes.

Ces gosses de nulle part dans l'attente d'une adoption passagère ou définitive, Pablo les appelait ses Donin. Il y avait le Donin n° 1, le Donin n° 2, le Donin n° 3.

Le n° 3, c'était David, le dernier venu. Il n'y avait pas d'autres enfants dans le souterrain, hormis Jacob, le Donin n° 7, un ancien de huit ans dont personne ne voulait.

Anémié, neurasthénique, le gamin s'étiolait.

Carmen le sortait de nuit. Elle lui faisait faire le tour de la cour. Parfois, elle finissait par le verger. Là, elle lui racontait les histoires de Don Quichotte et de Sancho Pança.

Pour le pauvre gosse, c'étaient des moments exceptionnels. Toute la journée, il espérait que la nuit tombe un peu plus tôt que la veille. Mais la nuit noire ne suffisait pas. Il fallait vérifier le passage du marchand de sable dans le dortoir du haut.

Ainsi était la vie des clandestins qui transitaient par le souterrain. Tous sortaient en cachette. Quelques-uns, toutes les nuits. Quelques autres, une nuit sur deux ou une nuit sur trois. Cela dépendait du nombre de pensionnaires, mais aussi des saisons, du beau et du mauvais temps.

Les histoires de Carmen n'apaisaient pas toujours Jacob, le Donin n° 7.

Anémique, il était néanmoins capable de piquer des crises d'hystérie et d'instaurer entre elle et lui des épreuves de force aussi redoutables qu'imprévisibles.

Jaloux du Donin n° 3, récemment arrivé et que Carmen semblait chouchouter, le Donin n° 7 cherchait un moyen de s'illustrer. Il pensait sérieusement à éliminer le bébé. Peut-être même à l'étrangler de ses mains ou à l'étouffer sous les couvertures. Une fois, Carmen l'avait surpris accroupi sous le lit, une boîte d'allumettes à la main.

Naïvement, il avait avoué vouloir incendier la chambre.

Elle l'avait corrigé sévèrement. Un peu trop peut-être, en imposant la grève des câlins : ni bisous, ni caresses, et surtout plus d'histoires se rapportant au chevalier de la Mancha.

On allait vers la fin de la grève quand la Juva 4 des gendarmes se pointa à l'entrée de la grille.

La voiture, aussitôt repérée, déclencha le branle-bas de combat. En vitesse, on masqua l'aile du souterrain réservée aux clandestins. On fit disparaître les dossiers et la paperasserie compromettante.

Ça ne prit que quelques minutes. On alla si vite que Pablo et Carmen ne s'aperçurent même pas que Jacob, le Donin n° 7, s'était faufilé au rez-de-chaussée avant la fermeture du sous-sol.

Dissimulé derrière la portière de velours tendue dans le vestibule, il épiait les gendarmes qui sortaient de leur Juva 4.

Comme chaque fois, Carmen et Pablo les attendaient, sourire aux lèvres. Ils n'avaient rien à cacher et faisaient bonne figure.

Après les salutations d'usage, le brigadier Batista, un peu gêné, déclara :

— Nous venons vérifier le nombre et l'identité des enfants.

Il se racla la gorge et reprit :

— Le bruit court que vous auriez aussi des enfants juifs.

Pablo et Carmen se regardèrent d'un air innocent.

Elle partit d'un petit rire et dit, de son fort accent catalan :

— Les bruits qui courent, il faut les laisser courir et surtout ne pas essayer de les rattraper...

L'autre gendarme ôta son képi et se gratta la tête.

C'était un jeune au visage poupin. À le voir comme cela, il n'aurait pas fait de mal à une mouche. Il dit :

— C'est plus qu'un bruit, c'est une dénonciation.

— Une dénonciation, répéta Pablo, c'est pas possible ! Pour dénoncer, il faut des preuves. Il faut avoir aperçu quelque chose de louche. Or, en dehors du boulanger et du boucher, personne ne monte jusqu'ici.

— Ça n'est pas ce qu'on nous a transmis, enchaîna le brigadier. Paraît même que la nuit, il y a des allées et venues bizarres.

— Et pourquoi n'aurait-on pas le droit de sortir la nuit ? lança Carmen. Elle est bien bonne, celle-là !

— Ça n'est pas ce qu'on nous a dit, répéta le brigadier d'un air embêté. Nous avons des ordres, et vous me voyez dans l'obligation de contrôler l'identité des enfants.

— Eh bien, faites donc ! s'écria Carmen en invitant les gendarmes à entrer. Nous, on fait ce qu'on peut, on recueille de pauvres orphelins ; et s'il y a des Juifs parmi eux, que voulez-vous qu'on y fasse ? On ne va tout de même pas leur regarder la quéquette !

— Vous devriez ! dit le jeune.

— Et que regarderiez-vous chez les filles ?

— Chez les filles, euh euh ! bredouilla la jeune recrue, en effet, je ne sais pas.

Parvenu au seuil de l'entrée, le brigadier s'essuya les pieds et demanda :

— Combien de pensionnaires avez-vous en ce moment ?

— En ce moment, seulement six : deux filles et quatre garçons, répondit Carmen.

— C'est peu ! fit remarquer le brigadier.

— C'est tout de même du travail, soupira Pablo. Ma femme se donne à fond, c'est une Catalane, elle a le sang chaud !

Le brigadier loucha vers Carmen. Manifestement, elle ne lui déplaisait pas.

Elle rougit et dit :

— Ça n'est pas ce que vous croyez. Mon mari parle du boulot, pas de la bagatelle !

Le Donin n° 7 choisit cet instant pour apparaître au grand jour, à la surprise de tous.

Il s'avança vers les gendarmes et dit :

— Je m'appelle Jacob Zilberstein, je suis juif, et elle me cache ici depuis au moins trois mois.

En désignant Carmen qui était sur le point de tourner de l'œil, il cafta :

— Des Juifs, il y en a d'autres en bas. Même un bébé qui n'a pas sa place ici !

Tout ce que Carmen et Pablo avaient bâti avec l'aide de Anne-Marie Donin s'écroulait. L'irruption de ce pauvre gamin sonnait peut-être la fin de la bastide.

Le brigadier attrapa le gosse par le menton et dit :

— Regarde-moi dans les yeux. Pourquoi fais-tu ça ?

Le jeunot à la tête poupine ne montrait pas la même indulgence.

La réponse du Donin n° 7 était accompagnée d'un pied de nez adressé à Carmen.

— Elle l'a bien cherché. Elle a fait la grève des câlins, et maintenant, on va tous nous arrêter !

— Tous, je ne sais pas, dit le brigadier, mais toi, sûrement.

— Je vous en prie, intervint Carmen. Ne faites pas ça. Il ne sait pas ce qu'il a dit, il est malade, il est mentalement diminué.

Le brigadier s'emporta :

— Pas de chantage aux sentiments. Je suis là pour faire respecter le règlement. Et le règlement sera respecté !

— Voyons, dit Pablo qui tentait une diversion. Il faudrait peut-être prévenir Mme Donin.

Le brigadier coupa l'Espagnol :

— Nous aviserons Mme Donin en temps voulu. D'ailleurs, nous pourrions également la poursuivre pour avoir enfreint les lois promulguées par Vichy.

Carmen risqua :

— Puisque vous parlez de Vichy, laissez-moi vous dire que Mme Donin a pas mal de relations au gouvernement.

Le jeunot au visage poupin eut alors une réflexion qui ne lui ressemblait pas :

— Les cimetières sont pleins de gens qui ont bénéficié toute leur vie de protections haut placées.

Le Donin n° 7 se mit à taper la cuisse du brigadier de ses deux petits poings.

En trépignant, il cria :

— Alors, vous m'arrêtez, oui ou non ? Et puis, il y a le bébé, faut l'emmener lui aussi !

Pablo ne put se retenir. Il gifla Jacob à toute volée.

Le môme tomba à la renverse. Il se releva aussitôt et se précipita sur Carmen.

Accroché à son tablier, il demandait pardon.

— Pardon de quoi, espèce d'idiot ? Tu nous mets dans un sacré pétrin.

Elle souffrait pour le pauvre gosse. Elle souffrait pour tous ceux d'en bas. Elle souffrait pour ce bébé séparé de son jumeau. Elle souffrait pour les autres petits orphelins qui s'étaient avancés, main dans la main. Qu'allaient-ils devenir à présent ? Quelle institution était capable de les accueillir ?

Elle souffrait très fort en elle-même. Si fort et si désespérément qu'elle ne put s'empêcher de provoquer les gendarmes.

Elle lança :

— Alors, qu'est-ce que vous attendez ? Suivez-moi, on va y aller ensemble, au sous-sol. Prenez donc le bébé et les deux autres aussi, pendant que vous y êtes !

Elle s'engageait déjà dans l'immense salon, tout de boiseries, qui prolongeait le vestibule et qui menait aux escaliers secrets, quand le brigadier la héla :

— C'est pas à vous de nous dire ce que nous avons à faire. Restez tranquille, nom de Dieu !

Ce disant, le chef entraîna son collègue à l'écart.

On les vit en plein conciliabule. Ils faisaient des gestes. Ils se débattaient dans les contradictions. Au bout d'un moment qui sembla très long à tout le monde, ils finirent par tomber d'accord et revinrent.

Tête baissée, contrarié, le jeunot tournait son képi dans ses mains.

Le brigadier s'avança seul vers Carmen. Il resta un instant sans rien lui dire, sans rien voir de ses formes, de ses charmes.

Il paraissait fatigué.

Carmen était tendue. Elle avait une boule dans le ventre, une autre dans la gorge.

Brusquement, il lâcha :

— Écoutez, on est venu, on n'a rien vu. Vous avez trente-six heures pour déménager d'ici.

Le jeunot au visage poupin ne put se retenir :

— Le sous-sol, on est au courant depuis toujours !

Le chef salua Pablo d'un signe de la tête et gagna la Juva 4 à grands pas.

La voiture démarra en crachant une fumée noire.

Personne ne bougea. Adultes et enfants restèrent figés.

On aurait dit qu'un ange était passé...

On ne parvint pas à joindre Anne-Marie Donin. Elle était partie d'urgence dans la Creuse en mission pour l'UGIF. On venait d'y arrêter quatorze enfants placés par l'OSE. Elle devait s'occuper des éventuels rescapés.

Pablo fit passer le message à Bernadette la femme de chambre. Celle-ci promit d'avertir sa patronne au plus vite. Encore fallait-il attendre qu'elle appelât chez elle, rue de Bellechasse.

Sans nouvelles de leur bienfaitrice, les Espagnols mirent en route le plan d'évacuation. On contacta la Résistance. On consulta plusieurs maisons amies. L'une d'elles, un manoir des environs de Manosque, se dit prête à héberger les enfants.

Le transfert se fit en plein jour, sous couvert de livraison, dans la camionnette à gazogène d'un marchand de bois.

Dissimulés sous la bâche, les Donin n°s 1, 2 et 3 ne cessèrent de vomir durant tout le voyage.

Pablo, qui les accompagnait, s'activait tant et plus, armé d'une cuvette et de torchons.

Le Donin n° 7, Jacob Zilberstein, l'auteur de l'esclandre, trouvait le trajet trop long et s'en plaignait bruyamment.

— Cesse donc tes bêtises, lança Pablo, crois-moi, tu reviens de beaucoup plus loin !

Pablo regrettait la gifle. N'empêche, comme connerie, on ne pouvait faire pire. *Madre de Dios*, c'est vrai, ils revenaient tous de loin. Et ce n'était sans doute qu'un début.

Tandis qu'il chargeait les enfants, il avait aperçu Rouzignac, le plus proche voisin de la bastide.

Le bonhomme tenait un appareil photo à la main. Peut-être une caméra, le genre 8 mm.

Entre Anne-Marie Donin et Rouzignac, il y avait, aux dires de celui-ci, six hectares de terres litigieux.

Le différend datait d'avant 1938, mais, avec la guerre, Rouzignac, un madré, un acariâtre, avait repris l'offensive. Ces six hectares, bien en ligne, séparaient les deux domaines.

Selon le cadastre, ils appartenaient à la bastide. Ils figuraient sur l'acte notarié et avaient été dûment acquis par le mari d'Anne-Marie, Armand de Clavière.

Mais Rouzignac n'en démordait pas. Il faisait valoir un assignat datant de la Révolution française, lequel papier-monnaie attribuait définitivement à ses ancêtres cette longue bande de terre désormais confisquée au seigneur de la bastide.

Après avoir engagé et perdu plusieurs procès, Rouzignac n'avait plus d'autre solution que le chantage. Récemment, il avait menacé l'aristocrate de dénonciation. Il savait, par une amie de sa fille mariée au maçon du village, que des aménagements spéciaux avaient été effectués dans les souterrains du « château ». Qui pouvait-elle bien y cacher, sinon des francs-maçons, des communistes et des Juifs ?

La Donin restait sur ses gardes, d'autant que Rouzignac la relançait également à son adresse parisienne.

On ne pouvait être plus précis, plus direct : « Ou

bien vous me rendez ma terre, ou bien je vous balance à la Gestapo. »

Anne-Marie Donin jugeait la situation si grave qu'elle s'apprêtait à céder une partie du terrain litigieux. Elle préparait une réponse dans ce sens par l'entremise de son homme d'affaires, quand l'UGIF la dépêcha d'urgence dans la Creuse, où l'on venait d'arrêter quatorze enfants et leurs moniteurs.

À peine furent-ils installés au manoir des Tilleuls, une maison amie, que les Donin 1, 2, 3 et 7 se trouvèrent en grand danger. En effet, prévenu du transfert des enfants par le jeunot au visage poupin, Rouzignac avertit la Milice.

Un cousin du paysan, surnommé Galoche à cause de sa mâchoire surdimensionnée, le genre stupide et borné, donna l'ordre de suivre discrètement la camionnette du marchand de bois.

De Cavaillon à Manosque, trois tractions avant se relayèrent. L'une essuya des rafales d'arme automatique et bascula dans un ravin du côté de La Tour-d'Aigues. La Résistance veillait au bon acheminement des enfants. Ils arrivèrent sans encombre dans leur nouvelle cache. C'était une demeure claire et gaie en bordure de rivière. Les larges baies vitrées laissaient voir une quadruple rangée de tilleuls tricentenaires, d'une exceptionnelle frondaison.

Au-delà de cette architecture de verdure, qui se mouvait au vent comme une voile, s'étalaient prairies et champs. Au-delà, très loin, on apercevait le moutonnement des collines qui s'étageaient harmonieusement sous les monts du Lubéron.

C'était le bonheur, la joie. On pouvait même jouer au ballon et faire de la balançoire.

Des toupies, des Meccano, des poupées, des baigneurs en celluloïd venaient parfaire le séjour. Il y avait aussi des livres, des Jules Verne cartonnés, les contes de Perrault et de La Fontaine.

Les illustrés n'étaient pas en reste : *Bicot*, *Tarzan*, *Les Pieds Nickelés*, *Jim la Jungle*, *Popeye*, *Le Fantôme du Bengale*.

C'était distrayant à feuilleter.

Leur hôte, un ancien officier de la Coloniale, farouche patriote, initiait les nouveaux venus à toutes sortes de blagues et de facéties.

Il avait pris en affection le Donin n° 7, un révolté au cœur tendre. Ce n'était pas facile de passer derrière Carmen, mais il parvenait à s'attirer les bonnes grâces du gamin.

Si le maître du manoir des Tilleuls avait son chouchou, sa femme, une dame distinguée, avait également choisi le sien dès les premières heures. Elle s'était immédiatement attachée au bébé, dont on ne savait pas exactement s'il se prénommait David ou Jean. Il était, en effet, muni de fiches signalétiques différentes. L'une le donnait pour David Bassier. L'autre pour Jean Bassier. C'était sans doute une erreur des bénévoles qui aidaient Anne-Marie Donin de Clavière à placer les enfants. À moins qu'il ne s'agisse de deux frères.

Peu importait qu'il fût Jean ou David. C'était un bébé intelligent et vif. Le regard, le sourire lui plaisaient.

Elle se disait que la vie était mal faite. À 40 ans, elle aurait adopté cet enfant. À 60, elle ne pouvait décemment y songer. C'était trop injuste !

Elle s'adressait au bébé d'une voix câline : la choisirait-il comme maman ? Avait-il toujours la sienne quelque part ? Où était-elle ? Pourquoi les avait-on séparés ?

David écoutait. Sa mémoire lui racontait des histoires. C'était flou, à peine perceptible. Il ressentait plus qu'il ne voyait. Il y avait eu Lucie. Puis Marie. Et après Marie, Carmen.

Pour sûr que Carmen l'avait marqué. Il aimait la voir, l'entendre, la toucher.

La nuit avait été dure. Le bébé avait fait cauchemar sur cauchemar. Cris, crises s'étaient succédé.

La dame avait donné beaucoup d'elle-même. Elle avait consolé, bercé.

Au matin, épuisée, elle céda à la tentation et prit le petit malheureux dans son lit. Il s'y endormit aussitôt.

Le mari de la dame n'apprécia pas. Il aimait les enfants, mais tout de même...

Il grogna comme un vieil ours et passa dans le bureau voisin. Celui-ci donnait de plain-pied sur le parc.

Il ouvrit la porte vitrée. Il commençait à remonter les volets de fer quand son sang ne fit qu'un tour : tout un bataillon de miliciens se faufilait sous les tilleuls. Les uns y restaient en repli ; les autres prenaient position autour de la propriété et s'apprêtaient à donner l'assaut.

En bon militaire, l'ancien colonel jugea vaine toute résistance. On n'avait même pas le temps de réveiller les enfants et de les cacher.

Il retourna dans la chambre et prévint sa femme :

— Les miliciens nous cernent. Mets le petit sous les draps et fais semblant d'être souffrante.

Il ouvrit un placard et chercha, à tâtons, sur la planche du haut.

La dame était fatiguée. Elle ne comprit pas tout de suite. Elle entendit des ordres, des sommations. Elle sursauta.

Elle tira la couette sur l'enfant et se redressa. Elle n'eut pas besoin de faire semblant. Elle était vraiment malade.

Le canon du revolver appuyé sur sa tempe, le colonel s'avança vers Galoche. Les deux hommes se connaissaient. Ils étaient tous deux de Manosque. Pas du même bord, bien sûr.

Uniforme noir, béret de même couleur penché sur la joue droite, Galoche tenait la mitraillette calée contre sa hanche.

Quatre hommes l'entouraient. Ils étaient armés de Stern prises aux maquisards.

Les autres s'agitaient dehors. Ils furetaient dans

les communs et interrogeaient la domesticité tirée du lit avec brutalité.

Pathétique, l'ancien officier de la Coloniale affrontait le chef du détachement.

Il lança :

— Je vous préviens : si vous touchez aux enfants, je me fais sauter la cervelle !

Pas du tout impressionné, Galoche répondit :

— Ce serait dommage pour le tapis !

— Je ne plaisante pas, lança le maître des lieux. Les enfants sont ici sous ma responsabilité, et je ne laisserai personne les emmener.

— Eh bien, c'est ce qu'on verra ! répliqua Galoche.

Puis, s'adressant à ses hommes, il ordonna :

— Allez-y, les gars, fouillez-moi la baraque de fond en comble, et ramassez-moi les petits youpins !

— Halte-là ! hurla le colonel. Un pas de plus et vous aurez ma mort sur la conscience !

— On n'a pas de conscience ! rétorqua Galoche en faisant feu depuis sa hanche.

Foudroyé par la rafale, le colonel s'écroula.

Sa femme n'osait bouger. Elle entendait les allées et venues dans les étages, un sacré boucan.

Réveillés en sursaut, les gosses se taisaient, apeurés. Seul Jacob Zilberstein, le Donin n° 7, résistait. Ils ne furent pas trop de deux pour le descendre au rez-de-chaussée.

Il se débattait, il tapait avec les poings, avec la tête. Il crachait, il injuriait.

Découvrant le châtelain qui gisait à terre, il parvint à se dégager et fonça sur Galoche.

Du haut de ses huit ans, il débita un truc qu'il avait entendu dire la veille par le jardinier :

— Milico tête de veau ! Milico collabo ! Milico des salauds !

Galoche le saisit par les oreilles et le souleva à hauteur de son visage. Il dit :

— Répète un peu pour voir ?

Comme il répétait, Galoche lui écrasa le nez d'un coup de boule :

— Ça t'apprendra, petit con !

Il le tint un instant à bout de bras et poursuivit :

— Maintenant, tu vas réciter avec moi : « Milico c'est tout beau ! Milicien c'est tout bien ! »

Il détachait les mots. Il leur donnait du poids.

— Allez, ordonna Galoche. Je t'écoute !

Ça ne venait pas. Les mots n'allaient pas dans le bon sens !

Un second coup de boutoir en plein front assomma le gamin. Il pissait le sang. Ça giclait de partout !

— Tu en veux encore, connard ? Allez, le youpin, réponds-moi ! Tu la veux, ta dérouillée ?

Comme le youpin ne répondait pas, il le projeta brutalement à travers la porte-fenêtre. Il y eut des bruits de vitres qui s'effondraient.

— À qui le tour ? demanda Galoche en dévisageant les deux autres gosses.

Le Donin n° 1 était tout nu. Terrorisé, il faisait pipi sous lui.

Le Donin n° 2 avait eu le temps d'enfiler sa chemise. Il tremblait. Il avait mal au ventre.

— Embarquez-moi cette vermine ! lâcha Galoche. Et pendant qu'on y est, embarquez aussi les tapis, les tableaux, l'argenterie, les bijoux. Et que ça saute, bordel !

Ce disant, il enjamba le mort et se dirigea vers la chambre.

Il n'avait pas encore aperçu la châtelaine et ça l'intriguait.

Dans le temps, Mme la colonel fréquentait le magasin de sa mère, une modiste qui remaillait les bas de soie et retouchait les vêtements.

Elle avait connu Galoche tout gamin. Il faisait ses devoirs dans la boutique. En 1916, en fin d'année scolaire, la dame du château avait offert les livres de prix à toute la classe.

Il s'en souvenait. Le sien, c'était *Le Tour du monde en quatre-vingts jours*. À l'intérieur, elle avait disposé un livret de Caisse d'épargne crédité de 50 francs.

Il possédait toujours le livre, et le livret.

En vingt-six ans, les 50 francs avaient fait pas mal de petits. Il n'y avait pas encore touché.

Galoche se sentait mal à l'aise.

Il avait tiré le premier, c'est sûr. De toute façon, et même s'il n'avait pas tiré, le colonel se serait fait sauter le caisson. Alors, devait-on parler d'assassinat ou de suicide ? Il opta pour le suicide. Le mort était un homme d'honneur. Honneur et suicide, ça marche bien ensemble.

Il poussa la porte sans frapper.

Assise dans son lit, la châtelaine le fixait d'un air innocent.

Il se sentit bête. Ne sachant que dire, que faire.

Il manquait un gosse à l'appel. Rouzignac avait été formel. Ils étaient quatre. Un grand dans les 8 ou 9 ans, deux de 4 ou 5 ans, plus un nourrisson.

Il se sentait bête, mais il ne l'était pas. Le môme était vraisemblablement dans le lit de la dame. C'était une bonne planque.

Elle devina ses intentions et le regarda sévèrement.

C'était une manière de prévenir un mauvais geste. Elle craignait qu'il ne lui enlève le petit. Elle priait, elle demandait à Marie pleine de grâce de faire un miracle.

La Vierge entendit la châtelaine. Elle en était là de sa prière quand Galoche, ôtant son large béret, demanda :

— Vous ne vous sentez pas bien, madame ? Je peux faire quelque chose pour vous ?

Le salaud ! Il avait tué son mari, embarqué les gosses et les objets de valeur. Et voici qu'il feignait la politesse.

Elle dit :

— Tu peux effectivement faire quelque chose pour moi. Fiche le camp d'ici en vitesse !

Vexé, il répliqua :

— Avec ou sans bébé ?

Elle sursauta, puis lança :

— Ça suffit comme ça, Louis ! Tu as fait assez

de bêtises pour la journée. Il est temps de rentrer, maintenant !

Il accepta la réprimande. Il dit :

— Vous avez raison, madame, je rentre.

Il était temps. Le nourrisson s'étira et réclama son biberon...

Plus Raymond en apprenait sur sa petite enfance, plus il se considérait comme miraculé.

N'empêche, il se demandait tout de même si Charme n'était pas en train de lui inventer un autre passé.

Il avait beau chercher au plus profond de lui-même, il ne se rappelait absolument rien de ce qu'il était censé avoir vécu. À cet âge, les avatars de l'existence s'inscrivent dans la chair, pas encore dans la mémoire.

Les premiers événements dont il se souvenait assez précisément s'étaient déroulés autour de ses trois ans. Encore avait-il des hésitations. Il était au moins sûr d'une chose : cette mémoire-là lui appartenait entièrement. Il ne confondait pas ses souvenirs avec des ouï-dire, des choses entendues et répétées par des proches. Il n'avait pas eu de proches. Pas eu de parents. Pas eu de famille avant l'âge de six ans. Il n'avait revu aucune des personnes auxquelles il s'était attaché. Aucune des personnes chez lesquelles il avait atterri durant la guerre et dans les années qui ont immédiatement suivi celle-ci.

Pas de confusion possible. Tout ce qu'il se rappelait — pas grand-chose à vrai dire — n'appartenait qu'à lui-même.

Il était avec Charme depuis plus d'un an. Il ressassait interminablement son histoire. Il la passait au peigne fin pour y chercher la petite bête.

Très vite, il avait demandé :

— Comment as-tu découvert toutes ces choses sur moi ? Pour Perla, je veux bien. Pour Lucie, je comprends. Mais Lucie n'est pas censée savoir ce qui s'est passé à la bastide du Fortin ou à Manosque...

Charme avait été précise :

— Bien entendu, Lucie n'a pas connu tous les gens dont je te parle, mais elle a appris beaucoup sur ta jeune personne par Anne-Marie Donin elle-même.

Incrédule, il demanda :

— Anne-Marie Donin ? Tu veux dire que Lucie et Anne-Marie se sont rencontrées autre part qu'à Bernay ?

Charme l'attendait au tournant :

— Parfaitement. Elles se sont revues à Drancy !

— À Drancy ? répéta-t-il, consterné.

— Oui, à Drancy. Aussi bizarre que ça puisse te paraître, on y a interné des collabos à la Libération. Les deux femmes ont partagé le même baraquement. L'une avec raison. L'autre par erreur : une vengeance du clan Boufardoux.

Raymond se remémorait la conversation. À l'époque, il n'était pas encore tout à fait rentré dans la peau de David.

Il avait dit :

— Pour Anne-Marie Donin, je sais, tu me l'as déjà raconté. Quand même, je n'aurais pas cru qu'elle deviendrait amie avec Lucie.

— Qui te parle d'amitié ? Au contraire, elles ont continué à se livrer une guerre sans merci. Lucie faisait croire à la Donin qu'elle détenait Élie quelque part, dans un endroit secret, alors que le pauvre se trouvait là où tu sais. Elle la tenait comme cela : « Tu ne dis rien, et dès que nous sortons d'ici, je te rends l'enfant. Et pour rien, ma vieille, c'est gratos ! »

Charme avait ajouté :

— Évidemment, elle ne demandait pas d'argent. Les Allemands n'occupaient plus Paris. Les alliés poursuivaient leur offensive du côté de Saint-Nazaire et dans les Ardennes. Les Juifs ne risquaient plus rien. Au contraire, ils étaient protégés. Tout ce que Lucie disait, c'était du vent, du vide ! À ce faux aveu, à cette fausse promesse, la Donin répliquait en racontant tes malheurs. Elle espérait lui refiler un peu de remords, lui donner mauvaise conscience.

Il avait demandé :

— Elles sont restées longtemps à Drancy ?

— Environ trois semaines.

— Et après ?

— Eh bien, après, on les a ramenées dans leur quartier et on les a tondues devant tout le monde.

— Tu veux dire que l'on a tondu Anne-Marie Donin rue de Bellechasse ?

— Exactement. Et on a tondu Lucie rue des Rosiers.

Déjà un peu plus d'un an de tout cela.

Charme s'était mise à fouiller dans un secrétaire qui appartenait à Abraham Seltzer. Il était rempli de dossiers, de lettres, de photographies.

Elle était revenue vers Raymond avec l'une d'elles.

— Regarde plutôt !

En découvrant la photo, il ressentit un choc. Une lueur lui avait traversé la tête.

Tandis qu'il contemplait le cliché, il entendait les commentaires flatteurs de Charme :

— C'est une femme exceptionnelle, n'est-ce pas ? Quelle classe ! Quelle allure !

Elle avait insisté :

— Qu'en penses-tu, Raymond ?

Raymond n'en pensait que du bien. Évidemment, c'était flou et vague. Il lui semblait malgré tout reconnaître la dame. Oh, bien sûr, ce n'était qu'une impression ! Cependant, tout n'était pas gommé par le temps.

Troublé, il avait dit :

— C'est drôle, mais il me semble avoir déjà vu cette femme.

Il regarda Charme et demanda :

— Qu'en penses-tu, j'ai raison ou j'ai tort ?

— Bien sûr que tu as raison. Et plus encore...

Suspendu à ses lèvres, il avait demandé :

— C'est-à-dire ?

Deux jours après l'arrestation des enfants juifs au manoir des Tilleuls, la Résistance abattit Rouzignac d'une rafale de fusil-mitrailleur.

Le même commando mit le feu à la ferme après avoir expulsé la famille et le bétail. C'était le temps des « œil pour œil », des « dent pour dent ». À l'injustice organisée répondait la justice expéditive.

Sommée de s'expliquer sur ces représailles, Anne-Marie Donin quitta Paris et se rendit au Fortin.

Les gendarmes devancèrent la Milice et l'appréhendèrent dès son arrivée au village.

Tout y passa : le rôle exact du couple d'Espagnols. Les clandestins d'origine juive. Sa brouille avec Rouzignac. Ses contacts avec la Résistance. Ses relations avec le gouvernement de Vichy. L'importance de son réseau de bénévoles.

Mme de Clavière répondait aimablement. Elle n'avait rien à cacher. Ni de ses opinions, ni de son comportement.

Elle parlait de ses œuvres de bienfaisance, des secours qu'elle prodiguait aux uns et aux autres, sans distinction de race ni de nationalité.

Elle se disait patriote, antinazi et antibolchevique. Elle jugeait infâme la chasse aux Juifs et aux gitans. Ce n'était pas digne du pays des droits de l'homme. Elle œuvrait au mieux dans l'intérêt et pour la réputation de la France.

Les gendarmes n'étaient pas au bout de leur leçon d'histoire. Quand ils demandèrent la liste des bénévoles, les noms et adresses des parents adoptifs, ils eurent droit à un fameux cours sur la trahison.

Elle raconta le procès fait au Talmud par le procureur Nicolas Donin. Un infâme qui entacha de honte et de bassesse, à tout jamais, l'honneur de sa famille.

Les gendarmes entendaient parler du Talmud pour la première fois. Ils écoutèrent sans broncher. Ils étaient sous le charme de la dame et sous celui des mots. Ils l'approuvaient. Ils répudiaient le procureur et prenaient parti pour Rabi Yéhiel.

Sensible au malheur familial d'Anne-Marie Donin, le brigadier l'accompagna jusqu'à la grille de la propriété.

Chemin faisant, il confia :

— Je peux retenir les miliciens vingt-quatre heures, pas davantage. Vous êtes dans leur collimateur !

Elle remercia et répondit :

— D'accord, vingt-quatre heures suffiront pour évacuer tout le monde.

— Qui vous parle d'évacuer ? Qu'est-ce que c'est encore que cette histoire ?

— C'est encore une histoire d'honneur, répondit l'aristocrate. Je n'ai pas envie de voir des miliciens à la bastide. De toute façon, j'ai décidé de dissoudre l'association et de cesser mes activités de charité.

— À propos, dit le brigadier, savez-vous que la Kommandantur a l'intention de s'installer chez vous ?

Elle marqua la surprise et demanda :

— S'agit-il d'un secret ?

— Disons plutôt qu'il s'agit d'une information confidentielle. Nous avons été contactés par les services allemands chargés d'examiner les lieux et l'environnement de votre propriété.

Elle s'écria :

— Et vous ne pouviez pas me le dire tout de suite ?

— Non, madame, je ne pouvais pas. Vous étiez en état d'arrestation dans nos locaux.

Il ajouta, un peu gêné :

— Il y a encore autre chose. La Milice a fait une descente au manoir des Tilleuls. Ils ont assassiné le colonel de Laprade et embarqué les enfants juifs.

Elle faillit jurer et se retint. Décontenancée, elle demanda :

— Et le bébé ?

— Quel bébé ?

Il n'était pas au courant. C'était plutôt rassurant.

Elle prit congé du brigadier et se mit immédiatement en route pour Manosque. Elle avait un mauvais pressentiment.

Bernadette, la dame de compagnie, faisait partie de l'expédition. C'était une belle femme de 35 ans, au long cou laiteux, à la poitrine généreuse. Ses habits noirs, ses lunettes lui donnaient un côté sérieux et strict. Ce n'était qu'une apparence.

Les parents de Bernadette Verner habitaient une maison de garde-barrière du côté de Vaison-la-Romaine. On devait leur laisser David un certain temps.

Ce qui est décidé n'est pas toujours accompli. Il y a ce que l'on sait, ce que l'on maîtrise. Il y a aussi les concours de circonstances, des faits, des incidents imprévisibles, lesquels peuvent venir contrarier les décisions premières.

La châtelaine s'était désintéressée du bébé. Pitoyable, hébétée, elle se tenait auprès du cadavre de son mari en décomposition. Le corps du colonel dégageait une odeur terrible.

Écœurée, Anne-Marie Donin laissa Bernadette s'occuper de la femme et se mit en quête de David. Elle le trouva dans la chambre du bas, enfoui sous les couvertures.

À moitié étouffé, il gisait, inanimé. La peau plissée et parcheminée indiquait une sérieuse déshydratation.

Efficace, elle eut les gestes qu'il fallait et le transporta sans attendre au dispensaire le plus proche.

Pressé par sa patronne, le chauffeur prenait les virages à la corde. Elle en avait des haut-le-cœur.

Vitres ouvertes, le visage fouetté par le vent, elle résistait à l'envie de vomir.

Et quand David rendit soudain le peu de liquide qui lui restait, elle dégueula à son tour, inondant le gosse qu'elle tenait dans ses bras.

Le chauffeur ne put s'empêcher de jurer. Il conduisait une Delage, pas une poubelle !

Mouchoir sur le nez, il continua à grogner jusqu'à Cavaillon.

Ouvrant la portière, il y alla de sa remarque :

— Que Madame me pardonne, mais Madame aurait mieux fait d'amener directement le petit à Vaison-la-Romaine.

Madame sortit de la voiture sans même prendre le temps de s'arranger. Elle lança :

— Ça va comme ça, Ernest, nettoyez donc la banquette car nous partons pour Paris.

Ernest parut interloqué :

— Pour Paris ? répéta-t-il. Madame est certaine ?

Madame s'engouffrait déjà dans le couloir du dispensaire. Il n'y avait pas une minute à perdre. Elle réclama une perfusion à cor et à cri. L'enfant se mourait.

C'était venu comme cela, naturellement, sans réfléchir, sans y penser. On avait assez ballotté ce pauvre petit. Pourquoi le conduire chez les parents de Bernadette ? Pourquoi continuer à le cacher ?

L'espace d'un éclair, elle décida de l'adopter. Ne le protégeait-elle pas depuis toujours ? Il était comme son fils.

D'instinct, elle avait prononcé le mot...

L'aristocrate resta quelques jours à Cavaillon. Son fils se rétablissait rapidement. Elle ne le quittait pas. Elle s'émerveillait de ses sourires retrouvés. Il s'essayait à parler.

Elle lui apprit à dire « Maman ». Un mot nouveau pour lui. Un mot déjà prononcé, mais qui prenait maintenant un autre sens.

Elle l'appellerait Nicolas. Nicolas Donin. Un joli pied de nez adressé à l'histoire.

Adopter un bébé juif, n'était-ce pas la meilleure façon de laver une fois pour toutes l'affront fait au Talmud par son ignoble ancêtre ?

Désormais, pour l'histoire comme pour les mémoires, il n'y aurait plus d'autres Nicolas Donin que cette innocente petite victime de l'antisémitisme.

Chouchouté par Bernadette, qui cumulait les fonctions domestiques, nurse et dame de compagnie, Nicolas s'épanouissait. C'était un beau garçon d'une vingtaine de mois, au charme irrésistible. Il était vif, curieux, imprévisible.

À le voir gambader aussi naturellement, on aurait

dit qu'il était vraiment né dans ce somptueux sept pièces de la rue de Bellechasse.

La sérénité des lieux n'était qu'apparente. En réalité, l'immeuble et l'appartement étaient surveillés par un couple de concierges aussi vénal que raciste. Les étrennes, les primes, les pourboires achetaient leur silence.

Pressentant quelque mauvais coup, Anne-Marie Donin hésitait à s'éloigner de Paris. Son fils la passionnait davantage que les missions proposées par l'UGIF ou l'OSE. Enfin, tarabustée par Fitermann, elle accepta de se rendre à Brioude, une sous-préfecture tranquille de Haute-Loire où la communauté juive, environ cent cinquante familles qui s'y étaient réfugiées, vivait en relative sécurité. Néanmoins, des indications émanant de diverses sources, et qui se recoupaient, laissaient supposer une rafle imminente.

Chargée de préparer une zone de repli sur Langeac et Le Puy, prise entre deux feux, l'aristocrate ne put échapper à la Milice qui déclenchait au même moment son offensive contre les maquisards de la Margeride.

Impossible de s'en sortir indemne. Elle eut beau énumérer ses qualités et ses titres, on la prit pour une résistante et on la transféra à Clermont-Ferrand, au siège de la Milice. Là, enfermée avec des réfractaires et des Juifs dans le sous-sol crasseux du 20, place de Lille, elle attendit plusieurs jours d'y être interrogée.

L'un des chefs, une terreur, n'était autre que le

fameux « Balafré » qui s'était illustré l'année précédente à Albi dans le tabassage d'Abraham Seltzer.

C'était un tortionnaire émérite, un bourreau pervers.

Féru de culture antisémite, le bonhomme sursauta en écoutant la prisonnière décliner son identité.

Le nom de Donin lui était si familier qu'il marmonna comme pour lui-même :

— Évidemment, vous ne pouvez pas connaître, ça remonte à trop loin !

Elle le regardait sans comprendre.

Il poursuivit :

— Ça, c'était un mec ! Il a eu les couilles de s'en prendre à la juiverie par le biais de leur putain de livre sacré.

Il y avait de quoi s'étonner. Personne jusqu'alors n'avait fait le rapprochement : Donin, le Talmud, Rabi Yéhiel, tout cela, c'était de l'histoire ancienne.

Malgré tout, mieux valait profiter de la circonstance et essayer d'amadouer la brute.

Elle pensa à son fils et se dit que, pour lui, elle avait le droit d'être lâche.

D'une voix enjouée, elle s'écria :

— Vous voulez parler de Nicolas ? Comment ça, je ne peux pas comprendre ? Vous plaisantez, j'espère ! Nicolas, c'est mon grand aïeul, la gloire, l'honneur de ma famille.

Le sourire du Balafré laissa voir une dentition très abîmée.

Il jubilait. Il avait enfin trouvé quelqu'un à qui parler de Donin, son héros.

Le regard allumé, admiratif, il interrogea :

— Vous me bassinez, ou quoi ?

Le terme « bassiner » ne disait rien à Anne-Marie.

Il changea sa phrase :

— Vous me menez en bateau, ou quoi ?

— Pas du tout ! La preuve : je suis capable de vous relater tous les faits qui ont marqué l'existence de Nicolas, de sa naissance à sa mort.

Tout en bavant de satisfaction, il la coupa :

— Rassurez-moi ! Nicolas, ce n'était pas le youpin qu'on veut nous laisser croire, n'est-ce pas ?

Elle eut des difficultés à prononcer le mot. Il passait mal dans sa gorge :

— Bien sûr que non, Nicolas n'avait rien de youpin. C'était un fervent catholique, un homme juste et bon, loyal envers la religion. Voyons, on ne peut être à la fois youpin et frère supérieur d'un couvent de dominicains. C'est une hérésie que de le faire passer pour un renégat. Noble et pieux, il abhorrait tout ce qui n'était pas français. Il prônait l'expulsion de tous ces misérables venus d'Israël ou d'Espagne pour manger le pain du peuple.

Elle avait fait fort. C'était sa seule chance d'échapper au convoi pour la Silésie. Le train était prévu pour le soir même.

Il caressa du bout des doigts la longue estafilade qui allait de l'oreille au menton et dit :

— Il y a une chose que je ne pige pas. Qu'est-ce qu'une Donin fichait donc avec les Juifs de Brioude ? Pourquoi y avait-il cinq enfants dans votre voiture ? Dans quel but ? Pour quelle destination ?

Elle ne se démonta pas. Mieux valait jouer franc jeu.

Elle dit :

— Vous n'êtes pas obligé de me croire, mais pour autant que je déteste les Juifs, en bonne chrétienne, je m'insurge contre l'arrestation des enfants.

— D'accord, d'accord, grommela le Balafré, mais malheureusement, les enfants grandissent et ils nous pourrissent le pays.

Jugeant son argument recevable, elle ajouta :

— Puisque vous portez Donin dans votre cœur comme aux nues, laissez-moi vous apprendre que ce pourfendeur de youpins ne s'en est jamais directement pris aux enfants. D'ailleurs, dans un rapport remis de ses propres mains à sa sainteté Grégoire IX, il propose d'expulser les adultes mais de convertir les moins de dix ans. Une manière de les assimiler et d'en finir une fois pour toutes avec cette race maudite.

Elle inventait. Elle y mettait la foi, l'accent.

Il tiqua et demanda :

— Vous êtes sûre de ce que vous dites ?

Elle répliqua aussitôt :

— Tout à fait sûre. Et croyez-moi, je sais de quoi je parle. Je possède des archives très précieuses qui vous intéresseraient certainement beaucoup.

Elle ne s'attendait pas à sa réaction.

— Banco ! Je viens vous voir à Paris.

Soulagée, elle crut bon de le flatter :

— Je vois que vous êtes un homme d'honneur.

— À quoi voyez-vous ça ? demanda-t-il en montrant deux incisives en or.

— L'homme d'honneur, répondit-elle, ici, c'est celui qui reconnaît ses erreurs.

Malin, il rétorqua :

— Remerciez plutôt votre ancêtre. En vérité, je devrais vous fourrer dans le train avec les autres.

Prenant un air offensé, elle demanda :

— Moi ! Pourquoi ?

— Pourquoi, pourquoi ! Mais voyons, c'est toujours le même refrain. Pourquoi ? Pour rien, pour tout. Aujourd'hui, personne n'est blanc-bleu. Nous vivons une putain d'époque où tout le monde a quelque chose à cacher, quelque chose à se reprocher, quelque chose à oublier.

Il se leva tout à coup et consulta sa montre, une Baume et Mercier volée à l'une de ses victimes, et dont il avait trafiqué le bracelet.

Debout, il était impressionnant. À sa tête de brute, à sa dégaine de marlou, à ses balafres boursouflées venaient s'ajouter deux immenses bras poilus qui se terminaient par des battoirs à assommer un bœuf.

Planté devant celle qu'il tenait encore à sa botte et dont il estimait l'ancêtre, il pérora :

— Voyez-vous, madame Donin, moi, quand je doute, je ne m'abstiens pas. Avec vous, disons que je fais une exception. C'est un manquement à mon proverbe arabe favori. Je ne connais pas le bicot qui a inventé ça, mais pour une fois, il a fait preuve de logique et d'intelligence.

Elle l'écoutait, le cœur battant. Elle se disait qu'il était capable de revenir sur sa décision. Elle avait hâte de rejoindre son fils. Il lui manquait terriblement. La cherchait-il ? Demandait-il sa mère ?

Mine de rien, le Balafré continuait :

— C'est un truc que j'applique à tous ceux qui défilent dans ce bureau un peu spécial et qui crient leur innocence. Bien sûr, ils ne sont fautifs que de s'être laissé prendre par mes hommes. C'est toujours la même chose.

Il la fixa d'un œil désabusé et demanda :

— Au fait, vous connaissez peut-être le proverbe en question ? Non ! Eh bien, je vous invite à le méditer : « Bats ta femme chaque soir. Si tu ne sais pas pourquoi, sois tranquille, elle le sait ! »

Elle demanda :

— Vous voulez dire que nous sommes tous coupables ?

— Oui, madame, tous coupables, tous pourris, tous à plaindre...

Râleur mais fidèle, le chauffeur de la Delage attendait sa patronne non loin du siège de la Milice. Il faisait une tête d'enterrement qui n'augurait rien de bon.

Avait-elle eu raison de s'inquiéter ?

Comme il ouvrait la portière sans dire un mot, elle le brusqua :

— Eh bien, voyons, Ernest, qu'y a-t-il ? Vous devriez être heureux de me retrouver !

Ernest marqua son contentement d'un signe de tête et lâcha tout à coup :

— Que Madame me pardonne, mais les nouvelles de Paris ne sont pas bonnes. Votre fils a été enlevé...

Lucie tournait discrètement autour de Bernadette. Cette tête-là lui disait quelque chose.

La veille, déjà, en promenant le doberman de M. Pastougrain, un collabo notoire qui la payait à l'heure, elle avait remarqué la nurse et l'enfant. Le môme, un petit noiraud aux boucles brunes, chialait plus qu'il ne devait. Il jouait sans y croire, juste pour faire plaisir à la nounou qui soupirait tant et plus.

La femme était plutôt avenante. Elle avait peut-être une poitrine trop forte, un cul un peu trop serré dans sa jupe noire de bonniche. Mais l'ensemble ne rebutait pas : un visage ovale aux traits réguliers surmontait un long cou laiteux qui dépassait de la veste à col blanc.

Dégageant la nuque, deux nattes de cheveux châtains se rejoignaient sur le haut du front et formaient un bandeau virginal.

Lucie trouvait cette coiffure idiote. Passe encore à 20 ans ! À 35, ça faisait carrément ridicule.

Elle chercha : cette tête, cette manie d'ôter ses lunettes et d'essuyer les verres à tout bout de champ lui rappelait quelqu'un.

Bizarre, elle avait l'image à l'esprit, le nom sur le bout de la langue, mais...

Le doberman, un monstre de férocité, tira brusquement sur sa laisse et entraîna Lucie.

Au passage, l'attelage frôla le môme et bouscula quelque peu la nurse.

Plus de mal que de peur. Le petit garçon paraissait ravi de l'incident. Il suivait des yeux le gros chien au poil ras et dur qui se faufilait entre les promeneurs.

Accrochée à la chaîne, Lucie traversa une bonne partie des Tuileries avant de réussir à maîtriser la bête.

N'étant qu'à quelques pas de chez Marie-Louise Boufardoux, concierge rue de Rivoli, elle s'y rendit avec le chien. Celui-ci connaissait la loge et s'y tenait tranquille.

Toujours aussi souillon et aussi fauchée, Lucie n'appréciait pas ce boulot de promeneuse de chien. Ce n'était guère valorisant. Mais, comme disait Marie-Louise Boufardoux, la mère de Noël : « Quand on n'a rien dans le ciboulot, faut pas péter plus haut que son cul ! »

C'est la Boufardoux qui avait recommandé Lucie à M. Pastougrain, qui habitait le cinquième étage. Il payait 60 francs par jour pour quatre longues sorties.

Lucie n'avait pas osé refuser. Certes, elle craignait autant les sarcasmes de Marie-Louise que les moqueries ou l'hostilité des passants qui s'étonnaient de voir un chien de cette taille par ces temps de restrictions alimentaires. Les uns trouvaient la chose scandaleuse : comment pouvait-on nourrir pareil molosse alors que la France crevait de faim ? Les autres n'y allaient pas par quatre chemins, ils étaient pour l'égorgement et la cuisson du doberman : 60 kilos de bonne viande fraîche, de quoi faire un festin d'enfer au nez et à la barbe des Boches.

Ayant gambergé toute la nuit dans son rez-de-chaussée de la rue des Rosiers, Lucie revint aux Tuileries sans le chien. Elle n'avait aucune raison de se cacher et entra, en même temps que la nurse et l'enfant, dans l'enclos où Guignol donnait sa représentation.

Guignol faisait de la Résistance. En assommant les gendarmes, la célèbre marionnette assommait du même coup l'armée d'occupation.

Lucie s'en fichait. Elle n'arrêtait pas de dévisager la jeune femme. Elle en avait plein les yeux, plein la tête de son image. Elle tenait une prise, c'était sûr. On ne s'obstine pas, comme cela, sur un personnage inconnu sans avoir de sérieux pressentiments quant à l'affaire susceptible d'en découler.

Lucie avançait au flair, comme le chien du collabo. Elle n'avait l'air de rien dans son tailleur fripé et ses bas de soie filés. C'était quand même un dangereux prédateur. Tout comme Marie-Louise, elle avait dénoncé des Juifs, des communistes, des métèques et bien d'autres personnes dont la gueule ne lui revenait pas. Elle avait même donné Fitermann, peu après avoir été reçue par lui dans les locaux de la rue des Rosiers. Elle pensait se venger. Il l'avait arnaquée, il devait payer.

À son grand désappointement, les flics ne s'étaient pas dérangés. Ça prouvait que le Juif bénéficiait d'une protection. Même chose à la Gestapo. Les Boches l'avaient rembarrée.

De toute façon, le bureau des dénonciations croulait sous les faux témoignages et les lettres anonymes. C'était la moitié de la France qu'il aurait fallu arrêter et déporter.

Spécialiste en règlements de comptes, Lucie suivit sa proie. La représentation terminée, elle donna 10 centimes à la chaisière et s'assit non loin de la nurse.

Dissimulée derrière *Paris-Soir*, qu'elle faisait semblant de lire, elle pestait contre sa mémoire défaillante. C'était pourtant clair comme eau de roche, évident comme 2 et 2 font 4 : elle connaissait cette tête-là.

Elle cherchait, elle habillait l'image autrement. Elle la transportait ailleurs, dans d'autres squares, d'autres rues, d'autres quartiers. Elle passait en revue les magasins où elle allait, les commerçants qu'elle fréquentait, les bouches de métro où elle attendait, les cinémas, les trottoirs des Halles.

Ça ne venait toujours pas.

Pour la millième fois, elle recomposa ses itinéraires.

À la fin, elle laissa Paris en paix. Mieux valait partir en vadrouille avec l'image.

Elle se remémorait les lieux. Récemment, elle s'était rendue à Nogent-sur-Marne avec le coiffeur. Ils y avaient passé toute une nuit, d'une guinguette à l'autre. Ils avaient dansé à l'apache, à la javanaise. Elle préférait le paso doble. C'était plus entraînant.

De Nogent, elle fit un saut à Houlgate. Ils n'avaient fait qu'un aller et retour pour voir la mer du haut des falaises.

Impossible. En ligne devant leurs blockhaus, parabellums prêts à cracher, les soldats allemands interdisaient le littoral.

En ville, ils n'avaient rencontré personne de remarquable.

Elle détailla les passagères du train. Aucune ne ressemblait à la nurse.

Il n'y avait pas eu d'autre sortie. Rien de folichon. Rien qui mérite de s'y arrêter.

Elle abandonna l'année 1943 qui se terminait et fouilla dans ses souvenirs de l'année 1942. C'était le bon temps. Elle revit les Garcin, la ferme de la Louvière, les paniers d'œufs, les poulets, le bon beurre, la crème fraîche.

Elle eut une pensée pour Paul, un gentil con mené par le bout du nez par cette salope de Marie qui portait le pantalon.

Des traîtres, des vendus ! Ceux-là aussi avaient été dénoncés et relâchés après enquête.

Lucie ne croyait plus à la justice. La lettre fourmillait de mensonges concernant les activités clandestines de Paul. N'avait-il pas hébergé un petit Juif et donné asile à des parachutistes anglais ?

L'eau à la bouche à l'évocation de toutes ces victuailles dont elle était désormais privée, Lucie passa de la ferme des Garcin à l'*Hôtel du Lion d'Or* à Bernay.

C'était le bon choix. L'image lui revint d'un seul coup. Un flash en pleine gueule. Bordel de Dieu ! quelle bêtise de ne pas y avoir pensé plus tôt ! Ça crevait pourtant les yeux. La nurse des Tuileries, c'était la dame de compagnie d'Anne-Marie Donin. Elles avaient partagé la banquette arrière de la Delage en allant de Bernay à la Louvière. Le môme était aussi du voyage.

Lucie se réjouissait. Ah, quel nez ! Quelle intuition ! Son opiniâtreté allait enfin payer. Il y avait un sacré paquet de pognon à toucher.

L'aristo serait bien obligée de cracher...

Les jours suivants, Lucie Garcin prépara sa revanche. Il ne s'agissait pas d'enlever n'importe quel enfant. Elle devait d'abord s'assurer que le petit noiraud aux boucles brunes nommé Nicolas était bien David Rosenweig, le frère d'Élie, qui trouva la mort sur la route durant le rapt qu'elle avait organisé avec le coiffeur.

Lucie récidivait. Mieux valait aborder la fille et se renseigner habilement.

Elle revint avec le chien. Il servit d'appât.

La bonniche en avait peur. Elle la rassura et invita le gamin à caresser le poil. C'était à la fois dur et doux. Il paraissait ravi. Comme il avançait sa menotte vers la gueule du doberman, elle intervint gentiment et prit la petite main dans la sienne.

La nurse, qui s'ennuyait fermement depuis le départ de sa patronne, ne se fit pas prier. Mise en confiance, elle se laissa aller aux confidences. Pourquoi se méfier d'une promeneuse de chien ?

Lucie apprit bientôt tout ce qu'elle désirait savoir, et même un peu plus. La Bernadette se languissait. Elle n'avait toujours pas rencontré l'âme sœur. Elle espérait. Elle priait. La solitude lui pesait. Elle était en manque d'aventure. En manque de tendresse. Elle craignait de se faire engrosser. Ça lui était arrivé une fois. Mme Donin avait fait venir une avorteuse. Depuis, elle utilisait la méthode Ogino. À quoi bon ? Elle suivait les indications, mais elle n'avait personne pour essayer si ça marchait ou non...

Lucie la réconforta. Elle connaissait un homme bien sous tous rapports. Beau, charmant, bon amant.

Timide, l'autre minauda. Elle devint cramoisie. Le ventre lui brûlait.

Lucie continuait à faire l'article : il était caressant et fougueux, viril et bien fourni.

Bernadette gloussa. Bon, d'accord, on pourrait

peut-être voir. Pas tout de suite. Elle devait s'y habituer, réfléchir. C'était tellement nouveau. Elle en avait tellement envie. Et puis, il fallait respecter le calendrier du Dr Ogino, vérifier les dates, les heures.

Le lendemain, ce fut tout réfléchi. Bernadette acceptait. Elle recevrait l'homme chez elle, rue de Bellechasse. Elle donna le mot de passe, le moyen d'éviter les concierges. Surtout ne pas sonner, cela réveillerait Nicolas. Un simple toc toc à la porte, elle ouvrirait aussitôt.

Les deux femmes se quittèrent joyeusement. L'une était pleine d'émoi. L'autre se voyait déjà pleine aux as.

À 22 heures précises, comme convenu, Noël Boufardoux, en cravate et complet veston, entra au 23, rue de Bellechasse. Il marmonna le mot de passe et grimpa lentement jusqu'au quatrième étage, selon les recommandations de Bernadette.

Parvenu sur le palier, il sortit un loup de sa poche revolver. Il s'apprêtait à enfiler le masque quand la porte s'ouvrit brusquement.

Haletante, rouge d'émotion, peignoir entrouvert, la nurse l'attrapa par le col de sa veste.

Pris en défaut, Boufardoux lança :

— Éteignez, s'il vous plaît !

Il n'eut pas à prononcer autre chose. Elle se jeta goulûment sur lui.

Ça ne tournait pas comme prévu. Il était là pour

chloroformer la fille et s'emparer du gosse. Il pensait à Lucie qui attendait en bas avec le chien dans la Talbot du collabo. Elle avait obtenu cela du maître. Il prêtait la bagnole à des fins humanitaires. On débarrassait Paris d'un youpin qui s'y cachait sous un faux nom.

La fille en voulait. Tant pis pour Lucie, elle poireauterait. Il l'avait déjà trompée autant de jours qu'il y a dans l'année. Elle le savait. N'empêche, cette fois, ça valait vachement le coup : il baisait une fille exceptionnellement chaude.

Il attendit une accalmie et se mit à la recherche de sa fiole d'éther.

Comme elle s'étonnait de l'odeur, il lui fourra le tampon sous le nez et la tint contre lui jusqu'à ce qu'elle s'endorme.

Le gosse continuait sa nuit. Il en écrasait.

Boufardoux le prit délicatement. Il faisait gaffe.

À dire vrai, il n'en menait pas large. Il avait la trouille au ventre.

Il enfila son masque et descendit les quatre étages sur la pointe des pieds.

Pas de bol. Les concierges l'attendaient devant la loge. L'homme était armé d'un gourdin. La femme d'un couteau de cuisine.

Ni l'un ni l'autre n'eurent le temps de montrer leur courage. Au même moment, tous crocs dehors, un molosse fit irruption dans l'immeuble.

Boufardoux gueula :

— Personne ne bouge ! Je suis de la Gestapo. Pas un mot, ou vous êtes morts.

Les concierges ne se firent pas prier. La bonne femme laissa tomber son couteau de cuisine et se réfugia dans sa loge.

Ils restaient là, tous les deux, derrière la porte vitrée, le nez collé au carreau, tandis que le doberman, dressé sur ses deux pattes, monstre haineux, bavait sa rage sur leur paillasson.

Boufardoux aperçut Lucie et lui fit signe de ne pas entrer. Il puait l'éther et le foutre. Il était dépeigné, hirsute, griffé de partout.

Il s'avança vers la loge et calma le chien. Quand la bête cessa ses grondements, il montra le gosse toujours endormi et lança :

— Vous ne perdez rien pour attendre. La Gestapo va s'occuper de vous. Incroyable ! Vous savez que le môme est juif et vous ne le dénoncez pas.

— Il est pas juif, osa répondre la pipelette tétanisée, c'est le fils de Mme Donin.

— C'est ça ! répliqua Boufardoux. Un mot de plus et je vous embarque rue Lauriston.

Il les avait bien eus. Il sortit de l'immeuble en les fusillant du regard et s'engouffra dans la Talbot de M. Pastougrain.

— En avant ! lança Lucie, installée à côté du chauffeur.

Elle faisait une sale tronche. Au bout d'un moment, elle se retourna vers le coiffeur et demanda d'un ton sec :

— La baise, c'était comment ?

Elle le cherchait. Mieux valait laisser tomber. Il dit :

— J'ai pas pu faire autrement. De toute façon, c'était nul !

Elle fit l'effort de sourire et jeta :

— Compte sur moi pour te finir. On dépose le gosse et je m'occupe de tes roustons.

Le chauffeur de M. Pastougrain, un complice, un Tonkinois ramené d'Indochine, observa Noël dans son rétroviseur.

En parlant du nez, il proposa :

— Si vous avez besoin d'un assistant, n'hésitez pas !

Lucie lui tapota la cuisse et dit :

— C'est pas bête, parce que lui, vous avez compris, il a déjà donné...

Quand Bernadette se réveilla, bouche pâteuse et mal de crâne, elle se traîna vers la chambre de Nicolas. L'enfant n'y était plus.

En un rien de temps, elle retrouva ses esprits pour de bon et comprit l'étendue du désastre.

Affolée, elle descendit les étages quatre à quatre et se précipita chez les concierges.

Ils la reçurent froidement. Ils faisaient une tête d'enterrement.

— Pas la peine de nous expliquer, lança le bonhomme en bourrant sa pipe. Toi et ta patronne, vous nous avez mis dans de sales draps. Maintenant, on est fiché par la Gestapo.

Bernadette restait interdite. Elle venait crier au

secours, et voici qu'on l'accablait. Elle n'y comprenait rien.

La pipelette enchaîna :

— On se doutait bien que la mère Donin n'était pas celle que l'on croyait. De là à nous ramener un petit youpin dans l'immeuble, y a tout un monde.

Bernadette laissait dire. Après tout, mieux valait faire croire à une histoire de Gestapo plutôt qu'à une histoire de cul. Mme Donin ne lui pardonnerait jamais d'avoir amené un homme chez elle. Et qui plus est, dans sa propre chambre.

Bernadette était désemparée. Que faire ? Qui prévenir ? Tout ça pour une envie, pour une faiblesse. Le salaud ne l'avait même pas comblée. Elle s'était laissé avoir comme une gamine. C'étaient des voyous. Ils allaient certainement demander une rançon.

Avait-elle assez d'économies pour satisfaire leur exigence ? Elle comptait mentalement. Elle se trompait. Tantôt elle trouvait 15 000 francs, tantôt 18 000. C'était peu. Nicolas valait beaucoup plus cher.

Elle se désespérait. Le mieux était de se jeter par la fenêtre. Elle hésitait entre le vide et le rail.

Petite, elle avait failli se faire écraser par l'express Paris-Nice. Sa mère l'avait retenue de justesse. Les trains, les express, les omnibus, les michelines, les convois de marchandises, c'était le cauchemar de Mme Verner.

Il n'y avait pas que Bernadette. La plupart des

gosses dont elle s'occupait risquaient de finir écrabouillés par un train qui en cachait un autre. Et que dire du petit Nicolas ? Sa fille le lui avait apporté pour Noël. Un drôle de cadeau, en vérité. Lui aussi avait échappé à la catastrophe. Toujours à bouger. Toujours à se cacher. Toujours à disparaître...

Anne-Marie Donin traversait une mauvaise passe. Le chagrin la défigurait. Elle souffrait. Elle essayait de comprendre. Après la Milice, c'était au tour de la Gestapo.

Ça ne cadrait pas vraiment. Dès son arrivée rue de Bellechasse, elle avait essuyé les foudres des concierges. Des gens qui n'avaient même pas la reconnaissance du ventre. Elle les arrosait pourtant depuis des années : primes, pourboires, étrennes royales.

C'était à vous dégoûter du genre humain.

Quant à Bernadette, murée dans un silence entrecoupé de sanglots, il fallait lui arracher des explications souvent contradictoires.

Comment la croire ? Étaient-ils deux, ou bien n'y avait-il qu'un seul homme ? L'avait-il menacée et violée, comme elle le prétendait ?

À sa décharge, l'appartement puait encore l'éther.

Pourquoi chloroformer une employée de maison quand on est sûr de son droit ? Cette forme d'agression, à pareille heure de la nuit, ne correspondait pas aux méthodes de la Gestapo.

Il y avait sans doute quelque chose d'autre. Une affaire de dénonciation et de chantage. Toutes proportions gardées, cette éventualité était plutôt rassurante. On avait une chance de revoir Nicolas vivant.

Bernadette, qui se remettait peu à peu, penchait également pour cette version. Elle reprenait ses dires et justifiait ses erreurs d'appréciation par le choc émotionnel. Sans rien avouer de sa rencontre avec la promeneuse de chien, elle admettait maintenant qu'il n'y avait eu qu'un seul kidnappeur, un Français à l'accent parisien.

Il avait carillonné tant que ça pouvait.

Elle l'avait observé à travers le judas. Il n'avait pas l'air d'un voleur. Il était vêtu d'un complet veston et portait une cravate à pois.

Elle avait fini par lui ouvrir.

Il s'était immédiatement jeté sur elle. Après, eh bien, elle ne se souvenait plus de rien !

Anne-Marie Donin n'était pas femme à se morfondre ou à lâcher prise. Pourtant, depuis son séjour place de Lille, elle se posait de sérieuses questions sur le sens de sa vie : pourquoi aider les autres quand les autres ne s'aident pas eux-mêmes ? Pourquoi faire le bien par petits gestes, petites touches, quand le mal, tel un fleuve en crue, entraînait tout sur son passage ? Y avait-il quelque part, au bout du fleuve, un océan des horreurs, un trou houleux et bouillonnant où les victimes, pauvres carcasses d'os et de plaies, s'accrochaient encore à quelque bouée dans son genre ?

Comble des combles, un naufragé de ce fleuve de boue et de sang avait enlevé son fils.

Elle ne se remettait pas du chagrin. C'était comme si on l'avait frappée en plein cœur.

Couleur rouge sang, la vie s'écoulait d'elle-même. Elle s'étalait, à ses pieds, comme une flaque.

Impuissante, elle attendait un signe. Elle paierait pour Nicolas, comme elle avait payé pour David.

Elle pensait tendrement au petit. Elle le suivait depuis toujours. Et depuis toujours, les hommes n'avaient cessé de le persécuter. À deux ans et demi, il était déjà passé par tant d'épreuves que Dieu était forcément avec lui. C'était miraculeux. On le croyait mort, disparu. Tel le Phénix, il ressuscitait à chaque fois.

Dieu le protégeait, c'est sûr. Mais Dieu n'empêchait pas ses malheurs. Peut-être que Dieu s'en remettait à l'enfant. Quoi qu'il en soit, Dieu prenait des risques. À moins que le petit ne soit lui-même Dieu ? Un dieu solidaire du genre humain. Un dieu venu là, tout exprès, pour partager la souffrance et subir, lui aussi, les cruautés et les tortures...

Anne-Marie Donin n'allait pas bien. On lui avait volé son fils en même temps que ses illusions. Maintenant, elle faisait semblant d'espérer.

Il y avait eu un appel très tôt le matin, à l'heure des laitiers et des arrestations.

Au bout du fil, une voix déformée. Un ton sec, un ordre :

— Préparez 60 000 francs. À demain même heure. Salut !

Le lendemain, la voix donna d'autres instructions :

— Donnez l'argent à votre servante. Envoyez-la aux Tuileries. Dites-lui de se présenter à 9 heures 15 précises devant la baraque de Guignol.

C'était clair, précis. Aucune menace.

Pour la forme, Anne-Marie Donin demanda :

— Et si je refuse de payer ?

Elle croyait connaître la réponse. Elle se trompait. La voix se fit cruelle, persiflante :

— Tu ne refuseras pas, ma cocotte. Et je vais te dire pourquoi. D'abord, t'es pleine aux as. Ensuite, à la moindre anicroche, on fait la peau au gosse. Ça ne fera jamais qu'un youpin de moins sur terre !

Elle raccrocha. Elle était dégoûtée de la vie.

Quand il aperçut la nurse, Boufardoux s'approcha d'elle. Il dit :

— T'es venue seule et t'as bien fait.

Elle crevait de peur. Elle bredouilla :

— Je ne suis pas venue de mon bon plaisir.

Il ne put s'empêcher :

— Du plaisir, ma cocotte, j'en ai plein la braguette.

Il s'avança et ajouta :

— Tu veux toucher ?

Affolée, elle chercha autour d'elle et risqua :

— Où est le petit ?

— Passe d'abord le pognon.

Il soupesa la grosse enveloppe d'un air entendu. Pas besoin de contrôler. Le compte y était.

Elle vacillait sur ses jambes.

Histoire de la rassurer, il dit :

— Je t'en remettrais bien un coup !

Elle chialait.

Il eut pitié et siffla entre deux doigts.

C'était strident. Une espèce de zazou surgit alors de derrière un platane. Il tenait Nicolas par la main. Le petit paraissait ravi de la promenade...

De retour à la maison, Nicolas marqua son contentement par un beau sourire, sans plus. Il avait été bien traité et ne semblait guère affecté par ces trois jours passés hors de chez lui.

Anne-Marie l'avait imaginé sens dessus dessous. Il n'en était rien.

Elle ne connaissait pas grand-chose aux gosses. Il était passé d'un milieu à l'autre sans s'étonner outre mesure.

Bien sûr, là-bas, il faisait sombre et froid. Ça ne sentait pas bon.

Du lit où on l'avait attaché, il apercevait le gros

chien au poil ras. L'animal était doux au toucher. Cette fois, il avait beau tendre le bras, il ne pouvait le caresser.

Entre le gosse et le chien, il y avait une grille.

Assise contre la grille, il y avait une dame. Ce n'était pas Bernadette.

Elle était gentille. Elle chantonnait. Elle lui offrait des petits-beurre et des roudoudous.

C'était tranquille. Moins on bougeait, moins on se faisait engueuler.

La vie rue de Bellechasse n'était plus ce qu'elle était. La bonne humeur, la gaieté se faisaient rares.

Bernadette n'osait plus promener l'enfant. Elle redoutait une rencontre avec Lucie. Ça tournait à l'obsession. Elle la voyait partout. Elle l'imaginait furetant dans le quartier. D'un moment à l'autre, elle accosterait sa patronne et lui dirait : « Savez-vous que votre bonniche est une salope qui se fait mettre par le premier venu ? »

Jusqu'alors, Bernadette se posait en victime. Certes, elle n'avait pas tout à fait tort. On l'avait bel et bien chloroformée.

Pour le viol, c'était une autre affaire. Une autre façon de voir les choses. Elle l'avait bien cherché. C'était sa faute, son péché. Anne-Marie Donin n'en savait rien.

En réalité, Anne-Marie Donin n'avait pas insisté. Les confidences de Bernadette n'auraient rien changé. Elle la savait sensuelle et tourmentée. Une liaison avec le chauffeur. Une autre avec le poseur de moquette. Une troisième avec Pablo, lors d'un séjour à la bastide du Fortin. Anne-Marie Donin avait dû calmer Carmen et sermonner Pablo.

Ce ne fut pas tout. Sa dame de compagnie tomba enceinte et réclama une sage-femme.

L'avortement s'était mal passé. Il fallut stopper le curetage à cause de l'hémorragie.

On ne connaissait pas d'amant à Mme Donin. Les hommes ne s'y risquaient pas. Elle avait un air distingué qui n'engageait guère les séducteurs à se lancer dans une opération de charme.

Impressionné par la hauteur du regard, nul n'osait voir en profondeur ce que la sévérité apparente cachait de sensibilité.

Il faut dire que l'aristocrate idéalisait Armand de Clavière, feu son mari. Sept ans après sa mort, elle en parlait comme s'il était toujours vivant. Parfois, on la surprenait en conversation intime avec le compagnon d'outre-tombe. C'était troublant. Elle se confiait, demandait conseil, faisait des arrangements, des promesses.

Ces temps-ci, les conversations entre Anne-Marie et Armand s'intensifiaient.

Ce n'était pas bon signe.

Bernadette, très attachée à sa patronne, s'en inquiétait. Ne l'avait-elle pas entendu dire : « Ne t'impatiente pas, je vais te rejoindre bientôt ! »

En décembre 1944, quelques jours avant Noël, à court d'argent, le clan des Boufardoux récidiva.

Un mot monté par le concierge intimait à la dame Donin de préparer 30 000 francs pour le lendemain. En cas de refus, et si besoin était, on viendrait chercher le petit à domicile comme l'autre fois. Le mot était signé « anonyme ». La demande de rançon, en lettres capitales découpées dans *Paris-Soir*, indiquait bien l'identité des ravisseurs.

Il n'y avait pas à hésiter. Il fallait mettre le petit à l'abri le plus rapidement possible.

On s'affaira. L'immeuble était peut-être cerné. L'aristocrate donna des consignes au chauffeur : s'assurer de ne pas être escorté. Ne s'arrêter qu'en cas de nécessité. Destination Vaison-la-Romaine. Bernadette serait du voyage.

Ernest descendit au garage et prépara la voiture. Lorsqu'il eut vérifié le niveau d'huile et la pression des pneus, il sortit prudemment la Delage de son box et se gara, moteur en marche, devant l'escalier de service.

Il n'y aurait plus qu'à franchir la porte cochère et à prendre la rue de Bellechasse en contresens. Les éventuels suiveurs n'auraient pas le temps de faire demi-tour.

Anne-Marie prit tendrement le petit dans ses bras et s'engagea dans l'escalier de service. Elle disait :

— Écoute bien, Nicolas. Ta maman ne peut venir avec toi mais elle te rejoindra dès que possible. Elle doit d'abord s'assurer que les méchants ne pourront plus jamais t'atteindre. Plus jamais nous faire du mal. Tu le vois, et j'en suis navrée, je ne parviens même pas à retenir mes larmes. C'est que mon cœur est triste de te voir partir. Je t'aime plus que tout au monde et je n'ai personne d'autre que toi à chérir. Tu es mon petit miraculé, mon divin, mon ange terrestre. Un jour, je te raconterai. Je te dirai des secrets...

Blotti contre sa mère, les bras passés autour de son cou, joue contre joue, Nicolas avait réclamé ses bonbons.

Décidément, elle ne pouvait se mettre à la place de l'enfant.

Étonnée par la demande, elle cria à l'adresse de la nurse qui la suivait dans l'escalier :

— Les bonbons, Bernadette ! N'avez-vous pas oublié le paquet dans la cuisine ?

Fébrile, Bernadette appuya sur la minuterie. Celle-ci ne durait que quelques secondes. On devait presser sur le bouton à chaque étage.

Elle chercha dans son sac à main.

Rassurée, elle dit :

— Les bonbons sont dans mon sac, Madame.

— Eh bien, tu vois, mon chéri, Bernadette n'a pas oublié tes bonbons !

Elle essuya ses larmes et l'étreignit :

— Ah, que ta maman est bête ! Au lieu de pleurer, elle devrait rire. Au lieu de s'angoisser, elle devrait bondir de joie, te dire que tout va bien.

Il caressa la joue de sa mère et dit :

— Tu es ma maman d'amour. Tout va bien. Tout

va très bien. Tu sais, c'est comme la marquise de la chanson.

Il avait tout juste deux ans et demi. Elle n'en revenait pas. On n'entendait que cela à la radio. C'était l'histoire d'une marquise qui appelle son intendant. Elle demande des nouvelles de son château, de sa jument, de ses biens.

Le château a brûlé, la jument est morte, les écuries sont parties en fumée, le marquis n'est plus de ce monde. Mais à part ça, madame la marquise, tout va très bien, tout va très bien.

En sûreté chez les parents de Bernadette, gardes-barrières dans le Vaucluse, Nicolas ne devait plus revoir celle qu'il appelait sa « maman d'amour ».

Boufardoux s'était occupé de la maman.

Fou de rage, il l'avait interceptée devant une palissade de chantier fraîchement recouverte d'une série d'affiches rouges où l'on voyait des têtes patibulaires. Mal rasés, hirsutes, abrutis de fatigue et de questions, les résistants, des Juifs, des Arméniens, avaient sans doute été photographiés durant leur interrogatoire.

Il dit :

— Qu'en penses-tu, l'aristo, ça te plairait de subir le même sort ?

Elle le défia du regard.

Il n'aimait pas ça et le lui dit :

— Qu'est-ce que tu préfères : une balle dans la nuque ou une dégelée de première ?

Il n'attendit pas la réponse et l'attira dans le terrain vague.

Coups de poing et de pied s'étaient succédé à un rythme insoutenable.

Il avait tapé partout à la fois, le ventre, la tête, les reins, les jambes, les doigts.

Chaque coup était ponctué d'insultes, de menaces. À la fin, il s'était débraguetté pour l'arroser d'urine.

Cinq mois déjà. Mâchoire cassée, jambes fracturées, côtes défoncées, l'aristocrate se remettait peu à peu.

La division Leclerc se rapprochait de la capitale. Des barricades s'élevaient un peu partout dans Paris. On entendait des coups de feu, des rafales sporadiques.

Fusil en main, ou bien armés d'un dérisoire revolver, des jeunes gens faisaient feu et couraient s'abriter sous les porches.

C'était le début de l'insurrection, mais les malheurs d'Anne-Marie Donin continuaient.

Agissant sur dénonciation, les résistants avaient embarqué la dame à la préfecture.

La cour, les bâtiments étaient encombrés de femmes et d'hommes qui criaient leur innocence.

Ça ne servait à rien de se justifier. Les uns avaient remplacé les autres. Les méthodes n'avaient pas changé. On arrêtait d'abord, on interrogeait ensuite. Ça prenait du temps.

Pas toujours qualifié, le personnel chargé de l'épuration jugeait hâtivement. Pour les femmes, on n'y regardait pas de trop près. Quand bien même il y aurait erreur, perdre ses cheveux en public, hormis la honte et les quolibets, ce n'était pas la mer à boire. C'était moins radical que de recevoir une balle dans la peau.

Ironie du sort, conduite à Drancy — il n'y avait plus de place ailleurs —, l'aristocrate refusa de répondre à ces espèces de manants prétendument sortis de l'ombre et qui jugeaient maintenant en pleine lumière.

L'accusation était si dégradante que se blanchir d'une telle calomnie relevait du défi.

Ce n'était pas croyable. De quoi l'accusait-on ? De sa relation avec un officier allemand, elle aurait eu un fils de trois ans. N'avait-elle pas fait disparaître l'enfant peu avant l'arrivée des alliés ?

Qui avait bien pu inventer pareille sottise ? Le pire, c'est que l'information était prise au sérieux.

Bouclée dans un baraquement insalubre à l'odeur pestilentielle où elle était venue maintes fois soulager la détresse des enfants juifs, l'aristocrate sut bientôt qui était sa délatrice.

Dénoncée pour antisémitisme et collaboration, Lucie Garcin se présenta d'elle-même à Mme Donin. Elle était brusquement prise de remords. Elle tenait à rétablir la vérité et à innocenter sa voisine de bat-flanc.

C'était le comble. L'intervention de Lucie en

faveur d'Anne-Marie ne fit que compliquer les choses.

N'y comprenant plus rien, agacés par les bavardages de l'une et le mutisme de l'autre, les FFI condamnèrent les deux femmes à être tondues dans leur quartier respectif.

Prévenu par la rumeur de la détention arbitraire de sa collaboratrice, Fitermann chercha aussitôt à la faire libérer.

Saturé, le standard de la préfecture de police ne répondait plus.

Désespéré, il s'agita toute la nuit entre l'Hôtel de Ville et Drancy. C'était la cohue, l'anarchie. Personne ne savait. Personne n'entendait...

Trop tard. Après avoir subi l'épreuve de la tonte, Anne-Marie Donin rentrait chez elle et se donnait la mort.

Chapitre VII

Noam n'était pas content de son rosier.

Pour honorer Anne-Marie Donin, il avait dû se pétrir de son histoire. Il avait souffert avec elle et ressenti, jusque dans son palais, le goût amer des barbituriques.

Maintenant, Noam en savait davantage sur Anne-Marie que Charme et Seltzer réunis. Son croisement de Celesiana et de Portland n'avait donné qu'une fleur assez banale. L'arbre était rugueux, hautain, sûr de lui. Il offrait des roses un peu trop « m'as-tu-vu ». Elles manquaient d'expression et de subtilité.

Il devait revoir sa copie, s'attaquer à quelque chose d'exceptionnel. L'échec en incombait peut-être à la mauvaise qualité de la terre, au climat, à l'été pourri ? Quoi qu'il en soit, la Donin méritait tout autant que la Seltzer ou que la Rosenweig. Elle figurait en troisième position dans le *Gotha des roses*, un ouvrage ravageur dont Noam ne prévoyait pas la publication avant d'avoir obtenu ses homologations. Il comptait sur un demi-millier d'authentifications, un sacré pavé lancé dans la mare des sociétés florales où quelques dizaines de gros bonnets censuraient à tour de bras tout ce qui n'était pas absolument académique. C'étaient les gardiens du troupeau, les garants de la tradition.

Cette fois, les inventions de Noam allaient faire du foin chez les obtenteurs et les rosiéristes du monde entier.

Il imaginait déjà leur réaction : « Qu'est-ce que c'est que ce petit Français qui ose mettre cinq cents espèces nouvelles sur le marché ? Mais que diraient donc les marchands de tableaux et les commissaires-priseurs si les héritiers de Picasso ou de Matisse libéraient, comme cela, du jour au lendemain, cinq cents toiles inédites ? »

Noam n'en était pas encore là. Il créait des roses pour saluer la mémoire des gens. Il n'avait nullement l'intention de monnayer le marché des âmes.

Il était en pleine réflexion sur la manière de reprendre sa Donin quand Charme l'appela de Carjac.

Non, elle n'avait rien à dire de particulier. Elle voulait juste s'assurer qu'il n'oubliait pas la cérémonie des retrouvailles.

Cela faisait en effet deux ans que père et fils avaient repris leur vrai nom. Ils avaient définitivement, et légalement, enterré Verner pour ressusciter en Rosenweig.

C'était moins facile à prononcer. Encore plus difficile à épeler. Ça correspondait mieux à leur état d'esprit.

Il faisait beau et froid. Le printemps tardif contrariait la nature.

On discernait, comme à travers un voile, les grands arbres privés de feuillage qui étalaient leurs branches givrées vers un maigre rayon de soleil.

Bien épaisse, la pelouse couvrait maintenant les trois quarts de la propriété. Le gel qui fondait par endroits laissait apparaître une herbe drue, d'une couleur vert tendre. La dernière tonte datait d'avant l'hiver.

La piscine, autrefois à l'abandon, était recouverte d'une bâche de plastique bleu. Ça ne s'harmonisait pas vraiment avec le reste. Sans doute est-il plus aisé de changer de nom que de goûts.

Impeccablement entretenu, le petit cimetière possédait maintenant sa clôture en croisillons de bois rouge et de fer forgé. Curieusement, de loin, ça faisait terrasse de café. Il ne manquait que les tables et les chaises. Les arbres fruitiers étaient déjà là, plantés en parasol. Sait-on jamais, l'émotion a peut-être parfois envie de souffler, besoin de s'asseoir.

Quand on se rapprochait du carré réservé aux petits martyrs juifs, on se sentait aussitôt pris à la gorge. Ça serrait, ça vous chamboulait de partout. Difficile de parler.

Charme et David se recueillaient autour d'Élie. Sur la tombe, ni fleurs ni couronnes. Juste quelques simples mots gravés à même la dalle.

Engoncé dans la canadienne de Raymond, un

retourné de veau doublé de lapin, David humait l'air frais. Il aimait ce temps. Il aimait sa femme...

Le manteau l'avait suivi avec d'autres affaires expédiées par Ginette.

Elle touchait une pension alimentaire qui la dédommageait d'avoir vécu avec un Juif.

Marceline et Marcel, les deux autres enfants de Raymond, n'avaient pas revu leur métèque de père. Mieux valait tirer un trait dessus et oublier à tout jamais sa pitoyable métamorphose.

Quant à Noam, leur frère, alors celui-là, comme faux cul, on ne faisait pas mieux. Il avait inventé toute cette histoire pour se faire mousser. C'était un mythomane, un déséquilibré.

Enveloppée dans une cape chic et chaude, Charme n'avait rien perdu de sa beauté. Au contraire. On lui voyait, à présent, de légères plissures au coin des paupières. Elles faisaient comme deux papillons venus s'y poser pour butiner.

Elle jeta un bref coup d'œil vers le portail. Noam n'était pas encore arrivé.

Dépitée, elle prit David par la taille. L'épaisseur des vêtements n'aidait pas au rapprochement. Elle insista et enfonça sa main gantée de laine dans la poche de son compagnon.

Il attrapa la main et noua les doigts autour des siens.

Il paraissait heureux. Ils étaient bien dans leur tête, bien dans leur peau. Ils appelaient cela « leur équilibre ».

On attendait Noam depuis des heures. Impossible de savoir où il était passé. Son portable sonnait interminablement dans le vide.

Charme avait mis les petits plats dans les grands. C'était simple, pas de fioritures :

Dom Pérignon 2000 en apéritif.

Tartines de foie gras fait maison.

Bar cuit vapeur pour commencer. Vin blanc sec, domaine de La Rectory.

Gigot d'agneau flageolets pour continuer. Cahors grand cru 99.

Plateau de fromages du pays. Gaillac millésimé 89 de chez Berthelot.

Clafoutis de pommes et de poires à la cannelle des Indes.

Le tout suivi d'un café pur moka du Harrar, le régal de Noam.

La cérémonie ne concernait qu'eux trois. L'année précédente, déjà, ils s'étaient retrouvés autour d'un menu semblable.

Les Rosenweig avaient trinqué et bu jusqu'à délirer. C'était joyeux et généreux.

Sans jeter les morts par la fenêtre, on les avait un peu oubliés.

Il faut dire que la vie primait sur le reste.

Il n'y avait rien d'indélicat. Il s'agissait plutôt d'une retenue pudique.

Faut-il absolument discourir et réciter des oraisons pour être en osmose avec les disparus ?

En dehors de son travail, Noam ne se sentait pas obligé d'honorer par les mots. La pensée suffisait.

Dans cette tragédie dont ils étaient les héros, il semblait préférable de s'octroyer des entractes.

C'était l'avis de Raymond. Sur ce point, père et fils se rejoignaient.

Éméchée, elle aussi, prise par l'ambiance plutôt tapageuse de l'anniversaire, Charme avait eu quelques difficultés à ramener ses hommes à la raison.

Raymond avait été le plus dissipé. Il arrosait son enfance d'un mélange de blanc et de rouge, comme s'il avait voulu la noyer dans ce fleuve de sang et de boue dont parlait Anne-Marie Donin.

Ah, celle-ci, il la retenait ! Comment peut-on se donner la mort sans se donner la chance d'y échapper ?

Avec Charme, ils s'étaient arrangés pour s'absenter quinze jours de Carjac. Ils avaient fait tous les cimetières de Paris et de la banlieue. Ensuite, ils s'étaient rendus à Cavaillon, et bien sûr au Fortin.

Impossible de localiser Anne-Marie. Elle ne reposait pas non plus dans le caveau des Clavière.

C'était une idée de Charme. Quelque chose de dingue. Ramener le corps de l'aristocrate à Carjac. Naturellement, il y avait une logique dans la démarche, un besoin irrépressible de boucler la boucle.

Ils s'étaient mis à table sans attendre Noam. Tant pis pour lui, tant pis pour eux. Par rapport à l'année passée, on allait vers une certaine tristesse. Dommage.

Ils se retrouvaient tous les deux, face à face, comme un vieux couple.

La chaise du milieu était libre. Ça faisait un vide. Il ne manquait plus que d'allumer la télévision.

Aucun risque. Ils ne possédaient pas de poste.

Le téléphone sonna enfin.

C'était Noam. Il s'excusait. Il n'était pas seul. Pouvait-on mettre un couvert de plus ?

Charme eut un drôle de pressentiment. Elle demanda :

— Ne me dis pas que tu nous ramènes Anne-Marie ?

— Presque, répondit Noam avec un petit rire. Peux-tu me passer mon père ?

David s'approcha et prit la communication. Il tremblait. La cheminée, le chauffage central marchaient pourtant à bloc.

Noam demanda :

— Es-tu assis, Papa ?

Le papa manqua de défaillir et tira une chaise vers lui.

— Ne quitte pas, ajouta Noam, je te passe quelqu'un.

Une très vieille voix, tout en aigus, cria dans son oreille :

— C'est toi, Raymond ? C'est vraiment toi ?

Il ne sut que répondre. Était-il encore Raymond ?

La voix de crécelle reprit :

— Allô, Nicolas ! C'est Bernadette Verner. Bernadette, ta nounou, tu te rappelles ?

Il hésita. Était-il encore Nicolas ?

Au bout du portable, la voix résonnait fortement :

— Dis, tu te souviens de ta Bernadette ? Quel âge ça te fait maintenant ?

Il se trouva bête et demanda machinalement :

— Et toi, ça te fait combien ?

— Moi, je vais sur mes 87 ans, mais ne t'en fais pas, ma mémoire est intacte. C'est pas comme mes dents !

Il y eut un blanc. Et puis, il l'entendit à nouveau. Elle parlait à Noam :

— Il va être surpris, le Raymond ! C'est que j'en ai, des histoires à lui raconter...

L'air accablé, il raccrocha.

Charme essayait de deviner.

Comme il restait silencieux, elle demanda :

— Dis-moi seulement si c'est bien ou si c'est mal ?

Il n'en savait rien. Il n'avait pas envie d'en parler.

Il aurait souhaité un peu de répit. Il appréhendait la rencontre.

Il espérait que tout cela, toutes ces choses du passé, toutes ces histoires de vie cachée, puissent prendre fin, une fois pour toutes, ce soir, ici même, en famille.

Il voulait en terminer.

Il fit un effort et rassura sa femme.

Elle le regarda avec tendresse.

Il ressemblait à Noam. Il était de la même trempe. Ils avaient le même front, le même nez, la même façon de sourire.

C'étaient ses jumeaux de la rue des Rosiers.

Elle les aimait tous les deux...

Remerciements à :

Catherine Aygalinc
Rachel Bleustein
Jo Goldenberg
Serge Klarsfeld
Catherine Legrand
Léon Poliakoff
Daniel Radford

Du même auteur
(principaux ouvrages) :

AUX ÉDITIONS DU ROCHER

Le Pavillon des affreux
Rue des Rosiers

AUX ÉDITIONS JEAN-CLAUDE LATTÈS

Le Lama bleu (prix Wizo)
Le Septième Ciel
Marches et Rêves
Hôtel Sahara
Le Voleur de hasards
Le Dieu des papillons

AUX ÉDITIONS ROBERT LAFFONT

Le Têtard
Les Transsibériennes
Rue des Mamours
La Baleine blanche
Fou de la marche

AUX ÉDITIONS JULLIARD

Le Rat d'Amérique
Les Passagers du Sidi Brahim

AUX ÉDITIONS DENOËL

Qui vive !
Mémoires d'un amnésique

AUX ÉDITIONS PLON

La Horde d'or
Le Chant du voyage
N'oublie jamais qui nous sommes
Imagine la Terre promise

AUX ÉDITIONS RAMSAY

Le Raja
Le Fils de l'Himalaya

Composition réalisée par JOUVE

IMPRIMÉ EN ESPAGNE PAR LIBERDUPLEX
Barcelone
Dépôt légal éditeur : 48534 - 09/2004
LIBRAIRIE GÉNÉRALE FRANÇAISE - 43, quai de Grenelle - 75015 Paris.
ISBN : 2 - 253 - 10962 - 2